Student Activities Manual

CAMINOS

Third Edition

JOY RENJILIAN-BURGY
Wellesley College

ANA BEATRIZ CHIQUITO
University of Bergen, Norway

SUSAN M. MRAZ
University of Massachusetts, Boston

MARY-ANNE VETTERLING
Regis College

HOUGHTON MIFFLIN COMPANY   Boston   New York

CONTENTS

Unidad 9 La tecnología

Unidad 10 Tradiciones y artes

Unidad 11 Temas de la sociedad

Unidad 12 Del pasado al presente

PREFACE

Welcome to the *Caminos* **Student Activities Manual**. Here you will have an opportunity to practice in different contexts the material introduced in your textbook. While the emphasis is on written practice, you will also have additional opportunities to improve your reading, speaking, and listening skills.

The purpose of the activities in this manual is to help you internalize the vocabulary, structures, and culture through written and oral practice. Whenever you are uncertain about a specific grammar point or vocabulary word, be sure to refer back to your textbook to refresh your memory. We recommend that you use this manual after you have read the corresponding section in your textbook and practiced the material in class. Used this way, the manual serves to reinforce what you have learned.

Organization

The *Caminos* **Student Activities Manual** contains twelve units plus a preliminary unit. They are organized into the following sections:

Workbook Activities

The Workbook section contains *Primer paso*, *Segundo paso*, and unit-end activities that parallel the organization of the units in your text. The activities in each **paso** cover the following teaching points:

- ► **Vocabulario y lengua**   This section reviews and practices the corresponding vocabulary and grammar sections in your textbook.
- ► **Cultura**   Expanding upon the cultural presentation in the text, this section generally consists of a reading and is followed by comprehension questions.
- ► **Lectura**   Each reading selection recycles and contextualizes much of the vocabulary and grammar presented in the textbook, and is accompanied by comprehension and expansion activities.
- ► **Escritura**   This end-of-unit composition activity practices the writing tips and techniques presented in the **Escritura** section of your textbook. It provides further practice for developing composition skills in Spanish.

Lab Activities

This section of the Student Activities Manual corresponds to the lab portion of *Caminos*, and contains a variety of listening activities. To complete the activities, you will need to use your *Caminos* **Audio CD Program**. Like the Workbook section, the Lab section is also divided into *Primer paso* and *Segundo paso* segments for each unit. The Lab section is intended to complement the Workbook section, and the corresponding lessons should be done together.

Caminos del jaguar Activities

The activities in this section will help to reinforce your understanding of the *Caminos del jaguar* story, whether you are following the graphic novel presented in your textbook, the video available on DVD, or both.

Autopruebas (Student Self-Tests)

Use this section to quiz yourself and to review material for tests.

Acknowledgments

The authors would like to thank Kim Beuttler, Beth Wellington, and Sandra Guadano, whose excellent editorial skills supported our writing of this Activities Manual. We are most grateful to Harriet C. Dishman and Michael Packard of Elm Street Publications for their precision, patience, and support in the production stages of this project.

There are many roads (**caminos**) to successful acquisition of the Spanish language. We hope that you enjoy your journey along this one!

JR-B
ABC
SMM
M-AV

Workbook Activities

UNIDAD 5

Vacaciones en la playa

PRIMER PASO

Checking into a hotel

ACTIVIDAD 1. Palabras. Match each term in Column **A** with the associated term in Column **B**.

A	B
1. _____ cambio de dinero	**a.** viajero
2. _____ maleta	**b.** nadar
3. _____ huésped	**c.** banco
4. _____ piscina	**d.** equipaje
5. _____ alojamiento	**e.** habitación sencilla
6. _____ buzón	**f.** puerta
7. _____ una cama	**g.** piso cuarenta
8. _____ ascensor	**h.** hotel
9. _____ llave	**i.** carta

ACTIVIDAD 2. Turistas. You need to check into a hotel in Puerto Rico. Using the appropriate words or phrases from the list, complete the following dialogue with the receptionist. Note that some words can be used more than once.

doble	habitación	reservación	sencillas
dobles	pagar la cuenta	sencilla	tarjeta de crédito

Lunes, en el Hotel San Germán

RECEPCIONISTA: ¿En qué le puedo servir?

TÚ: Quisiera una (1) _____.

RECEPCIONISTA: ¿Tiene (2) _____?

TÚ: Sí. Aquí tiene la información.

RECEPCIONISTA: ¿Quiere una habitación doble o (3) _____?

TÚ: Quisiera una habitación (4) _____.

RECEPCIONISTA: Muy bien, pero solamente tenemos habitaciones (5) _____ en

esa sección.

TÚ: Bien. Acepto la habitación (6) _____.

Viernes, en el Hotel San Germán

RECEPCIONISTA: ¿En qué le puedo servir?

TÚ: Quisiera (7) _____ .

RECEPCIONISTA: ¿Cómo quiere pagar?

TÚ: Quisiera pagar con (8) _____ .

RECEPCIONISTA: Enseguida. Aquí tiene la cuenta.

TÚ: Muchas gracias. Adiós.

Using direct object pronouns

ACTIVIDAD 3. Menos palabras, por favor. Your Cuban friend Linda thinks you are too wordy. Rewrite the following sentences, replacing the underlined words with the appropriate direct object pronoun. Pay special attention to word order.

> ▶ **MODELO:** Yo tengo <u>la carta</u>.
>
> *Yo la tengo.*

1. Ella tiene <u>el dinero</u>. _____

2. Es importante leer <u>los libros</u>. _____

3. Voy a comprar <u>unos lápices</u>. _____

4. Llevo <u>tres maletas</u>. _____

5. Compraron <u>unas sandalias</u>. _____

6. Quiero escuchar <u>música</u>. _____

7. Llamamos <u>a nuestros profesores</u> por teléfono. _____

_____

8. ¿Tú invitaste <u>a los amigos</u>? _____

ACTIVIDAD 4. Una llamada telefónica. You work at a hotel and a potential client from Puerto Rico has just called you with a number of inquiries. Answer his/her questions using direct object pronouns to replace the nouns in boldface.

> ▶ **MODELO:** ¿Tiene su hotel **un restaurante**?
>
> *Sí, lo tiene.*

1. ¿Tiene su hotel **estacionamiento**? _____

2. ¿Necesitan un **depósito de seguridad**? _____

3. ¿Tienen las habitaciones **un refrigerador y un baño privado**? _____

4. ¿Puedo usar **cheques de viajero**? _____

5. ¿Prefiere usted **tarjetas de crédito**? _____

6. ¿Puedo reservar **una habitación** ahora? _____

7. ¿Recomienda usted **una habitación de lujo**? _____

NAME _____ SECTION _____ DATE _____

Talking about the beach and leisure activities

ACTIVIDAD 5. De vacaciones. Look at the drawings, and describe what the various people are doing. If there is no drawing for a particular day, write what activity you would normally do at the beach. Answer using complete sentences.

sábado   lunes   miércoles

domingo   viernes

1. lunes: _____

2. martes: _____

3. miércoles: _____

4. jueves: _____

5. viernes: _____

6. sábado: _____

7. domingo: _____

ACTIVIDAD 6. La playa. You and your Dominican friend are planning a beach trip. Write four things you need to bring to the beach.

_____   _____

_____   _____

Narrating events in the past: Preterite of verbs with spelling changes

ACTIVIDAD 7. Tu pasado. You have just arrived home from school and your parents have lots of questions for you. Answer the following questions using the **yo** form of verbs with spelling changes in the preterite. Answer using complete sentences.

► **MODELO:** ¿Cuándo llegaste?
Yo llegué a las cinco.

1. ¿Quién explicó la lección? _____

2. ¿Con quién jugaste al tenis? _____

3. ¿A quién buscaste la semana pasada? _____

4. ¿Cuánto pagaste por tus libros este semestre? _____

5. ¿Cuándo empezaste las clases este año? _____

6. ¿Quién tocó el piano ayer? _____

ACTIVIDAD 8. Falta de memoria. Imagine that you are a hotel clerk in Ponce. A group of tourists suffering from amnesia arrives at your desk. Be courteous to everyone as they try to remember what they did yesterday. Answer their questions with the **usted** form if the question is singular (**yo**) or **ustedes** if it is plural (**nosotros**).

► **MODELO:** ¿Oí la voz de Pepe? / *Sí, Ud. oyó la voz de Pepe.*
¿Oímos la voz de Pepe? / *Sí, Uds. oyeron la voz de Pepe.*

1. ¿Huímos a San Juan? _____

2. ¿Busqué una playa bonita? _____

3. ¿Llegué tarde? _____

4. ¿Almorzamos con Olga Tañón? _____

5. ¿Oí una canción caribeña? _____

Preterite indicative of *ir, ser,* and *dar*

ACTIVIDAD 9. Mi visita a Cuba. You were able to take a short trip to Cuba to visit your relatives. Fill in the blanks with the correct preterite form of the verb in parentheses.

Ayer yo (1) (ir) _____ a Cuba. Mi madre me (2) (dar) _____

el dinero para el viaje. Mi abuela (3) (ser) _____ estudiante de la Universidad

de La Habana. Cuando llegué a La Habana, (4) (ir) _____ a la casa de mis tíos.

(5) (Ser) _____ la primera vez que conocí a todos mis primos cubanos.

Mis primos cubanos me (6) (dar) _____ una fiesta de bienvenida. Yo les

(7) (dar) _____ regalos a todos en la fiesta. Más tarde, mis primos y yo

(8) (dar) _____ un paseo por el Malecón.

Stating how long ago something happened

ACTIVIDAD 10. ¿Cuánto tiempo? You like to think about the past and about how long ago different events occurred. Express your thoughts by using the construction: **hace** + *time* + **que** + *preterite*.

> ► **MODELO:** tres horas / yo / estudiar en la biblioteca
> *Hace tres horas que estudié en la biblioteca.*

1. una semana / ellos / ir al cine

   _____

2. tres días / yo / estar enferma

   _____

3. un año / nosotros / hablar con el agente de viajes

   _____

4. ocho semanas / ella / jugar al tenis

   _____

5. cinco horas / tú / leer un libro

   _____

ACTIVIDAD 11. Repaso de verbos. To practice using both regular and irregular verbs, complete each sentence with the correct preterite form of the verb indicated.

1. Tú (ir) _____ al concierto de Rubén Blades.

2. Yo (tocar) _____ la guitarra en el teatro.

3. Tú (leer) _____ el libro *Cuando era puertorriqueña.*

4. Ustedes (viajar) _____ en el autobús para Mayagüez.

5. Yo (buscar) _____ el horario del tren.

6. Ellos (creer) _____ en el amor a primera vista.

7. Nosotras (comer) _____ muchos postres.

8. Ellos (huir) _____ de Drácula.

9. Él me (dar) _____ diez pesos por el libro.

10. Ellos (comenzar) _____ a estudiar a las once.

11. Tú (salir) _____ con el novio de ella.

12. Yo (pagar) _____ veinticinco pesos por el boleto.

13. Nosotros (practicar) _____ mucho para el concierto.

Cultura

ACTIVIDAD 12. La República Dominicana. Read the selection about the Dominican Republic, then answer the questions in complete sentences.

La República Dominicana es una isla muy popular entre los turistas a causa de su gobierno estable, su clima tropical y la abundancia de playas, hoteles y artefactos precolombinos. La ciudad capital Santo Domingo también es muy popular entre los turistas, gracias a la zona colonial donde están la primera catedral en el Nuevo Mundo y la tumba de Cristóbal Colón. La isla es famosa por su música, *el merengue,* y sus excelentes jugadores de béisbol.

Entre los productos agrícolas más importantes de la República Dominicana se encuentran el azúcar, el café y las bananas. El pueblo de San Pedro de Macorís produce más jugadores de béisbol ahora en las ligas mayores que cualquier otro país del mundo.

1. ¿Por qué es tan popular la República Dominicana entre los turistas? _____

    _____

2. ¿Por qué es popular la zona colonial? _____

3. ¿Cuáles son unos de los productos más importantes de la República Dominicana?

    _____

4. ¿Dónde nacieron muchos jugadores de béisbol famosos?

    _____

SEGUNDO PASO

Discussing vacations

ACTIVIDAD 13. Mis vacaciones. You are starting to plan your next vacation, a cruise to the Dominican Republic. Fill in the blanks using the words from the list below.

avisa	crucero	folleto	isla	vacaciones
buen viaje	embarque	guía	limosina	visa

Yo tengo unas (1) _____ y voy a ir a Santo Domingo en un

(2) _____. Antes voy a comprar una (3) _____

para leer más sobre la (4) _____ donde está la República

Dominicana. El (5) _____ que tengo de la compañía del crucero nos

(6) _____ que no podemos llegar tarde para el (7) _____

del barco. Nos van a mandar una (8) _____ para llevarnos directamente del

aeropuerto al barco. Estoy muy feliz sobre este viaje y todos mis amigos me dicen

(9) ¡_____!

ACTIVIDAD 14. Un viaje. You just took a trip to a Spanish-speaking country. Decide which country you visited, then describe this trip to your friends by filling in the blanks with the correct preterite form of the verbs in parentheses.

Mi viaje a (1) (*name your country*) _____ (2) (ser) _____

maravilloso aunque me (3) (costar) _____ mucho. Primero yo

(4) (pagar) _____ un depósito a la agencia de viajes. Después yo

(5) (recibir) _____ los documentos y yo (6) (hacer) _____

un viaje a (7) (*name your country*) _____. Yo (8) (estar) _____

en un buen hotel central que me (9) (gustar) _____ mucho. Yo

(10) (pasar) _____ una semana allí y yo (11) (comer) _____,

(12) (bailar) _____ y (13) (comprar) _____ mucho.

Yo (14) (encontrarse) _____ con mis amigos y nosotros

(15) (visitar) _____ museos y también (16) (ir) _____

todos al cine. Yo (17) (volver) _____ a los Estados Unidos pobre pero contento.

Using double object pronouns

ACTIVIDAD 15. Un hombre de negocios. Mr. Julio Vargas, a businessman from Puerto Rico, asks a lot of questions and expects brief answers. You must answer him with double object pronouns, replacing the highlighted words appropriately.

▶ MODELO: ¿Vas a mandarme **los documentos** enseguida?

Sí, se los voy a mandar enseguida.

1. ¿Ya **le** diste **las invitaciones a Sonia?**

   Sí, _____

2. ¿**Nos** mandaste **la cuenta?**

   No, _____

3. ¿Vas a enviar**les** **libros a las nuevas directoras?**

   Sí, _____

4. ¿Yo **te** mencioné **las circunstancias?**

   No, _____

5. ¿Mañana **nos** puedes traer **café?**

   Sí, _____

6. ¿**Me** buscaste **el libro?**

   No, _____

7. ¿**Le** imprimiste **los documentos al Sr. López?**

   Sí, _____

8. **¿Nos** trajiste **el periódico?**

   No, _____

9. **¿Les** piensas escribir **un correo electrónico a los nuevos clientes?**

   Sí, _____

10. **¿Me** estás preparando **los contratos?**

   No, _____

Narrating events in the past: Preterite of stem-changing -ir verbs

ACTIVIDAD 16. Práctica. Complete each sentence with the correct preterite form of the verb. Choose from the following list, using each verb once according to the context.

pedir	servir	seguir	morir
repetir	divertirse	preferir	dormir

1. Ellos _____ café con leche a los huéspedes.

2. Ella _____ viajar a Puerto Plata.

3. Gertrudis no _____ bien anoche.

4. Nosotros _____ en la fiesta del hotel.

5. Yo _____ por la ruta 95.

6. Él le _____ perdón a su amigo.

7. Muchas personas _____ en el accidente.

8. Yo lo _____ diez veces.

Narrating events in the past: Preterite of irregular verbs

ACTIVIDAD 17. El pasado. Complete each sentence with the correct preterite form of the indicated verb.

1. Ellos (tener) _____ problemas.

2. Ustedes (querer) _____ resolver los problemas.

3. Tú no (decir) _____ nada.

4. (Haber) _____ un accidente ayer.

5. Nosotros (estar) _____ en el restaurante ayer.

6. Yo (andar) _____ por la ciudad.

7. Usted (venir) _____ por el vino.

8. Yo no (poder) _____ entenderlos.

9. Tú (poner) _____ el libro en la mesa.

10. Ellos (traducir) _____ del francés al alemán.

11. Ella (hacer) _____ un viaje.

NAME _____ SECTION _____ DATE _____

ACTIVIDAD 18. Del presente al pasado. Rewrite the following sentences, changing the boldfaced verbs from the present indicative to the preterite.

1. Yo **hago** el trabajo. _____

2. Ellos **conducen** el auto. _____

3. Patricia **traduce** muchos libros. _____

4. Esmeralda **pone** la carta en el correo. _____

5. Nosotros **tenemos** problemas con el coche. _____

6. Yo **digo** la verdad. _____

7. Yo **pongo** dinero en el banco. _____

8. Yo **sé** su nombre. _____

9. Ellos no **pueden** salir. _____

10. **Hay** muchos estudiantes extranjeros en nuestra universidad. _____

_____

ACTIVIDAD 19. Repaso. Fill in each blank with the correct preterite form of the verb.

1. Ellos (hablar) _____ por teléfono por nueve horas.

2. Ella (pedir) _____ arroz con pollo y vino blanco en el restaurante.

3. Yo (sacar) _____ dinero del banco.

4. Nosotros (ir) _____ a Puerto Rico en barco.

5. Ustedes (comer) _____ en mi restaurante favorito.

6. Yo (llegar) _____ temprano a la fiesta.

7. Ellos (conducir) _____ los autobuses.

8. Pablo (leer) _____ veinte libros durante sus vacaciones.

9. Tú no (hacer) _____ nada.

10. Yo (almorzar) _____ en la zona colonial.

11. Nosotros no (decir) _____ nada.

12. Tú (ser) _____ mi amiga.

13. Yo (traer) _____ el regalo.

14. Usted (hacer) _____ su tarea.

15. Pablo no me (creer) _____.

16. María y Teresa (caer) _____ en el agua.

17. Él (huir) _____ del ladrón.

18. Ustedes nos (dar) _____ sus nombres.

ACTIVIDAD 20. Tu vida. Ana and Federico would like to know a bit about your past. Answer the following questions in complete sentences. Be creative.

1. ¿Qué hiciste ayer?

   _____

2. ¿Qué te pasó anteayer?

   _____

3. ¿Con quiénes hablaste anoche?

   _____

4. ¿Quién te visitó anteanoche?

   _____

5. ¿Adónde fuiste el fin de semana pasado?

   _____

6. ¿Qué pasó en tu ciudad el mes pasado?

   _____

Lectura

ACTIVIDAD 21. El viaje de Andrés y Amalia. Read the following passage, then answer the questions using complete sentences.

Andrés y Amalia viajaron a Santiago de Cuba en tren. El tren viajó lentamente y llegó a un lugar muy remoto donde pasó casi una hora. Empezó a moverse pero ¡un toro (*bull*) llegó y trató de atacar el tren! Pasaron más de una hora allí sin moverse hasta que un hombre llegó y se llevó el toro. Por fin llegaron a Santiago, pero muy tarde. De regreso a La Habana, ¡Andrés y Amalia alquilaron un carro!

1. ¿Adónde fueron Andrés y Amalia?

   _____

2. ¿Cómo viajó el tren?

   _____

3. ¿Qué hizo el toro?

   _____

4. ¿Por qué llegaron tan tarde a Santiago?

   _____

5. ¿Cómo volvieron Andrés y Amalia a La Habana?

   _____

Escritura

Writing Strategy: Using a dictionary

ACTIVIDAD 22. Mi viaje. Write a composition about a trip you took. Use the preterite tense. (Minimum: 10–15 sentences)

In preparing your essay, first write all the activities you did during your trip. Look up three unfamiliar words in an English-Spanish dictionary, and write several possible Spanish equivalents. Then check the Spanish words in the Spanish-English section of the dictionary, and choose the words that are the most appropriate. Finally, write your essay and include these three new Spanish words/expressions.

New words:

English	Spanish equivalents
_____	_____
	_____
_____	_____
	_____
_____	_____
	_____

Essay:

_____

_____

_____

_____

_____

_____

_____

_____

_____

_____

_____

UNIDAD 6

El tiempo libre

PRIMER PASO

Enjoying music and dance

ACTIVIDAD 1. Instrumentos musicales. In the blank below each picture write the name of the instrument depicted.

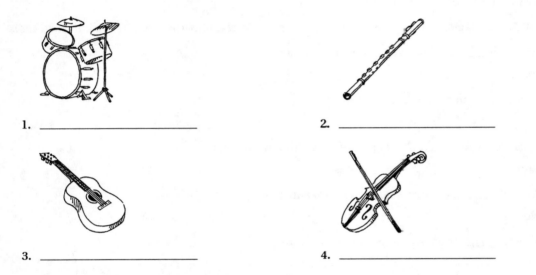

1. _____

2. _____

3. _____

4. _____

ACTIVIDAD 2. Música. Match each term in Column **A** with the associated term in Column **B.**

A	B
1. _____ cantar	**a.** el que baila
2. _____ bailarín	**b.** escuchar
3. _____ tambor	**c.** "Taps"
4. _____ tocar	**d.** congas
5. _____ cantante	**e.** copiar
6. _____ audífonos	**f.** instrumento
7. _____ bailar	**g.** canción
8. _____ trompeta	**h.** Shakira
9. _____ grabar	**i.** el merengue, salsa, tango

ACTIVIDAD 3. Preguntas. Answer the following questions using complete sentences.

1. ¿Cuál es tu instrumento musical favorito?

   _____

2. ¿Qué tipo de música latina prefieres?

   _____

3. ¿Cuál es tu baile latino favorito?

   _____

Describing in the past: Imperfect

ACTIVIDAD 4. El imperfecto. Complete each sentence with the correct imperfect form of the indicated verb.

1. Antes ustedes _____ mucho en clase, pero ahora no.

   a. hablan   **b.** hablaban   **c.** hablabas

2. Antes yo _____ una niña preciosa, pero ahora no.

   a. era   **b.** soy   **c.** eras

3. En el pasado ellos _____ al campo en el verano, pero ahora no.

   a. fueron   **b.** ibas   **c.** iban

4. Antes usted _____ en una casa grande, pero ahora no.

   a. vivió   **b.** vivís   **c.** vivía

5. Antes Irene _____ dinero a los pobres, pero ahora no.

   a. doy   **b.** daba   **c.** daban

6. En nuestra niñez nosotros _____ miedo de los monstruos, pero ahora no.

   a. tenía   **b.** tiene   **c.** teníamos

7. Antes tú _____ a tu novia frecuentemente, pero ahora no.

   a. ves   **b.** veías   **c.** vas

8. En el pasado nosotras _____ por toda la ciudad, pero ahora no.

   a. caminamos   **b.** caminas   **c.** caminábamos

9. Antes _____ cinco perros en mi casa, pero ahora no.

   a. había   **b.** habías   **c.** habían

NAME _____ SECTION _____ DATE _____

ACTIVIDAD 5. Práctica. Complete each sentence with the correct imperfect form of the indicated verb.

1. Ayer (hacer) _____ sol.

2. Antes ella (ser) _____ muy simpática.

3. Antes nosotros (estar) _____ tristes.

4. Yo no (sentir) _____ nada.

5. Tú (jugar) _____ mucho con Andresito.

6. Nosotros (despertarse) _____ a las seis de la mañana.

7. Ellos (almorzar) _____ en la cafetería.

8. Yo (leer) _____ mucho por la noche.

ACTIVIDAD 6. Un susto. Susana had a scary experience one night when she was a child living in the Dominican Republic. Fill in the blanks with the correct forms of the verbs in the imperfect, in order to describe what happened.

Cuando yo (1) (ser) _____ niña y (2) (tener) _____ sólo

ocho años tuve una experiencia horrible. (3) (Ser) _____ las tres de la mañana

y toda la familia (4) (dormir) _____. (5) (Hacer) _____

mucho viento y también mucho calor. (6) (Llover) _____ muchísimo y yo

(7) (tener) _____ mucho miedo. Yo (8) (pensar) _____

que (9) (haber) _____ un monstruo que (10) (llegar) _____

a mi ventana, pero (11) (ser) _____ solamente mi gato Miguelito.

ACTIVIDAD 7. Televisión. When you were a child, you enjoyed watching television. Complete the story with the correct imperfect form of the indicated verbs.

De niño, yo siempre (1) (mirar) _____ la televisión. Mis

programas favoritos (2) (ser) _____ Bob Esponja y las Tortugas

Ninja, y yo los (3) (ver) _____ con frecuencia. Generalmente

mis padres (4) (preferir) _____ ver las noticias y a menudo

ellos (5) (cambiar) _____ el canal para verlas. Unas veces yo

(6) (poder) _____ ver mis programas, sobre todo cuando mis padres

(7) (trabajar) _____ o (8) (estar) _____ cansados.

Pero todos los días nosotros (9) (mirar) _____ televisión en nuestra casa.

Talking about sports and exercise

ACTIVIDAD 8. Deportes. You and your friends are vacationing in Puerto Rico, where you take part in a number of sports. In the space below each illustration, write the name of the sport depicted.

1. _____ 2. _____ 3. _____

ACTIVIDAD 9. El mundo de los deportes. Match the sports in Column **A** with the items or actions they are associated with from Column **B**.

A	B
1. _____ béisbol	**a.** ciclismo
2. _____ natación	**b.** patinar
3. _____ fútbol	**c.** bate
4. _____ tenis	**d.** balón
5. _____ hockey	**e.** nadar
	f. raqueta

Distinguishing between *por* and *para*

ACTIVIDAD 10. *Por* y *para.* Complete each sentence with **por** or **para,** according to the context.

1. Cuando Tania está enferma yo toco _____ ella en el conjunto.

2. Yo uso el piano _____ tocar música cubana.

3. La canción caribeña es _____ Estela Luna. (Estela la escribió.)

4. La guitarra es _____ Pepe. Manolo se la va a dar mañana.

5. Los espectadores en el concierto de Ricky Martin pagaron $90 _____ cada entrada.

6. Ellos salieron _____ el Cine Nuevo de Ponce donde iban a ver *El beso que me diste.*

7. Voy a viajar _____ el Caribe _____ seis semanas el verano que viene. Voy a visitar muchos países.

8. Lo voy a terminar _____ las ocho de la noche como me pidieron.

9. Van a estudiar _____ el examen _____ diez horas.

10. ¿_____ dónde van ustedes _____ llegar a San Juan rápidamente?

ACTIVIDAD 11. Por favor. Your Cuban friend Portia Paradiñas always has something interesting to say but since you live in a noisy neighborhood you can't hear everything she says. In order to understand her better, fill in the blanks to complete her sentences. Choose from the following: **por favor, por correo, por lo tanto, por ciento, por ejemplo, por supuesto, por fin, por lo menos, para siempre, para nada, para mí, para mañana.** Use each expression no more than once.

1. Yo no tengo dinero, _____ tengo que trabajar.

2. Hay que terminar el libro _____.

3. Mandé una carta _____.

4. ¿Es este video _____? Muchas gracias. La voy a mirar ahora.

5. ¡_____ llegaron a La Habana!

6. No tengo buena suerte. _____ cuando voy a un concierto de música,

    siempre está allí mi ex-novio.

7. En mi clase el noventa _____ de los estudiantes estudia todas las noches.

8. Voy a vivir con mi esposo _____.

9. _____, ¿puedes tocar tu trompeta en otra sala?

Cultura

ACTIVIDAD 12. La música del Caribe. Read the following passage, and answer the questions using complete sentences.

> La música del Caribe tiene ritmo y alegría. Hay muchas influencias africanas en la música de esta región. En la República Dominicana hay música tradicional como la bachata y también el merengue. En Cuba la música tradicional tiene nombres como el son, el mambo, el danzón y la rumba. En Puerto Rico, la bomba y la plena son los estilos de música tradicional más populares en la isla.

1. ¿Cómo es la música caribeña?

   _____

2. ¿Cuál es una influencia importante en esta música?

   _____

3. ¿Cómo se llama la música tradicional en Cuba?

   _____

4. ¿Cuáles son los nombres de la música tradicional en Puerto Rico?

   _____

5. ¿Cómo se llama la música tradicional en la República Dominicana?

   _____

SEGUNDO PASO

Discussing television and movies

ACTIVIDAD 13. Tu tiempo libre. Today classes have been cancelled and you have decided to spend the day watching television. Look at the television guide on the next page, and answer the questions.

1. ¿A qué horas y en qué canales (*channels*) puedes ver las noticias?

   _____

2. ¿A qué horas y en qué canales puedes ver los telediarios?

   _____

3. ¿A qué horas y en qué canales puedes ver programas sobre el tiempo?

   _____

4. ¿A qué hora y en qué canal puedes ver "Los Simpson"?

   _____

5. ¿A qué hora y en qué canal puedes ver "Quién quiere ser millonario"?

   _____

6. ¿A qué hora y en qué canal puedes ver un concurso de ciclismo?

   _____

7. ¿A qué hora y en qué canal puedes ver un programa sobre la música clásica? ¿Cómo se llama el programa?

   _____

8. A qué hora y en qué canal puedes ver un programa sobre tres mujeres llamadas Alicia, Marcela y Lety? ¿Cómo se llama el programa?

   _____

9. Hay muchos programas sobre la Copa Mundial de fútbol. ¿Qué países juegan?

   _____

10. ¿Qué programa quieres ver? ¿Por qué?

    _____

ACTIVIDAD 14. Televisión. Answer the following questions with your personal opinion about TV.

1. ¿Miras mucha televisión? ¿Por qué? _____

   _____

2. ¿Cuál es tu programa favorito? Descríbelo. _____

   _____

3. ¿Cuál es el programa de televisión más popular en tu universidad? ¿Por qué?

_____

_____

TVE-1

6.00 *Noticias 24 Horas.*
7.00 *Telediario matinal.*
10.00 *Saber vivir.* 'Enemigos del descanso en verano'. Cómo afectan las altas temperaturas al descanso nocturno: dificultad para conciliar el sueño o para mantener un sueño reparador (despertar a medianoche).
11.30 *Por la mañana.* Incluye *Avance informativo.*
14.00 *Informativo territorial.*
14.25 *Apaga la luz.*
14.30 *Corazón de verano.* Los famosos, su trabajo, sus vidas, ocio, etcétera. También habrá humor, belleza y moda.
15.00 *Telediario 1.* (SS).
15.55 *El tiempo.*
16.00 *La tormenta.* Serie. (7. SS).
17.15 *Corazón partido.* Serie. (7. SS).
18.20 *España directo.*

20.00 *Gente.* Programa que se ocupa de la crónica de sucesos y de las noticias más relevantes del mundo del corazón.
21.00 *Telediario 2.*
21.55 *El tiempo.* Previsión meteorológica.
22.00 *Para que veas.*

22.30 *Hay Morancos en la costa.*

0.15 *Martes cine.* 'Acorralado'. (13).
2.15 *Telediario 3.*
2.30 *Musicauno.* Espacio musical. Actuaciones de Macaco y Camela.
3.00 *Noticias 24 Horas.* Información sobre temas de actualidad.

La 2

6.00 *Euronews.*
7.30 *Los lunnis.* (SS).
9.45 *La escuela del agujero negro.* 'Genoma'. (SS).
10.05 *Sheena.* 'El chico perdido'. (SS. 7).
11.05 *Dawson crece.* 'Texto, mentiras y cintas de vídeo'. (SS).
12.00 *Las chicas Gilmore.* 'De tal palo tal astilla'. (SS).
13.00 *Padres en apuros.*
13.15 *Los lunnis.* Programa infantil. (SS).
14.40 *Campeones hacia el Mundial:* Oliver y Benji.
15.15 *Saber y ganar.* (SS).
15.45 *Ciclismo.* Tour. Tercera etapa.
17.30 *Grandes documentales.* 'Encuentros con monstruos'. (R.).
18.30 *Frontera límite.*
19.10 *Dos hombres y medio.* (SS).
19.35 *Lo que me gusta de ti.* (SS).
20.00 *Informativo territorial.*

20.30 *Deporte 2.* 'Tour'. Resumen.
21.00 *iPop.*
21.30 *Miradas 2.*
21.45 *Sorteo Bonoloto.*
21.50 *La 2 Noticias.*
22.25 *El tiempo.*

22.30 *Alucine.* 'El exorcista (El montaje del director)'. Una niña es poseída por el demonio. (SS. 18).

1.05 *La mandrágora.* Ensayo general. (18).
1.45 *Los conciertos de verano.* Festival Blues Cazorla 2005. Magic Slim and The Teardrops.
2.50 *Los problemas crecen.*
4.25 *Obsesión.*
5.30 *Euronews.*

Antena 3

6.30 *Las noticias de la mañana.*
9.00 *Vamos de tiendas.*
9.30 *Megatrix.* Programa infantil. Incluye las series siguientes: 'Zipi y Zape', 'Thornberrys', 'Atomic Betty', 'Supernenas', 'Dexter' y 'Sabrina'. (SS).
13.00 *La ruleta de la suerte.* Concurso. (SS).
14.00 *Los Simpson.* Serie animada. 'Marge se da a la fuga' y 'Especial noche de brujas IV'. (SS).
15.00 *Antena 3 Noticias 1.*
15.50 *El ti3mpo.*
16.00 *La fea más bella.* Alicia le pide a Marcia que le ayude para que Lety no quede mejor que ella ante los directivos. (SS).
17.00 *Rebelde.* Pilar le confiesa a Giovanni que Diego nunca le aceptará en su círculo. (SS).
18.15 *Tal para cual.* Concurso. (SS).
19.15 *El diario de Patricia.*

20.15 *¿Quién quiere ser millonario?* Concurso cuyas preguntas aumentan en dificultad a la par que la cantidad de los premios en metálico. (SS).
21.00 *Antena 3 Noticias 2.* Presentan Matías Prat y J. J. Santos. Incluye *El ti3mpo.*
22.00 *El peliculón.* 'Braveheart'. (SS. 18).

1.30 *Dark angel.* Serie. (SS. 13).
2.30 *Antena 3 Noticias 3.*
2.45 *Buenas noches y buena suerte.* (13).
3.15 *Televenta.* Espacio promocional.
5.15 *Repetición de programas.*

Cuatro

7.00 *Menudo reCuatro.* Incluye las series 'Comando G'. 'Ulysses 31'. 'El mundo de Beakman'.
8.15 *Cuatrosfera.* Magacín juvenil. Incluye: 'Street football'. 'El show de la Pantera Rosa'. 'Vaca y Pollo'. 'Buffy, cazavampiros'. 'Rebelde Way'.
13.57 *Noticias Cuatro.* Incluye información deportiva del Mundial en directo desde Alemania de la mano de Manu Carreño y Manolo Lama.
15.25 *Friends.* Serie.
16.50 *Channel nº 4.* Magacín en directo.
18.50 *Alta tensión.* Concurso.

Hoy a las 21:00 h.
ALEMANIA vs ITALIA
cuatro

20.00 *Zona Cuatro.* Espacio deportivo.
20.50 *Mundial Alemania 2006.* Primera semifinal: Alemania-Italia (directo).
23.00 *Anatomía de Grey.* '¿Quién controla a quién?'.

23.55 *Noche Hache.* Informativo satírico. Invitada: Antonia San Juan. (13).

1.10 *Cuatrosfera.* Incluye: 'Los Oblongs', 'Cuatrosfera destilada', 'Cowboy Bebop', 'Kung Fu' y 'Primos lejanos'.
3.45 *Shopping.*
5.50 *ReCuatro.* Espacio que incluye la redifusión de programas.

TELE 5

6.30 *Informativos Telecinco matinal.*
9.10 *La mirada crítica.* Espacio de tertulia y opinión. Presentado por Vicente Vallés.
10.45 *El programa de Ana Rosa.* Magacín. Incluye *Karlos Arguiñano en tu cocina.* (SS).
14.30 *Informativos Telecinco.* (SS).
15.30 *Aquí hay tomate.* Programa que repasa las noticias más relevantes que se hayan producido en las últimas horas en el mundo del corazón y la prensa rosa. (13).
16.30 *Supervivientes: perdidos en el Caribe.* Resumen.
17.00 *A tu lado.* Magacín.
19.55 *¡Allá tú!* Concurso en el que los participantes deben elegir entre varias cajas que contienen valiosos o insignificantes premios. (SS).

20.55 *Informativos Telecinco.* (SS).

21.20 *Camera café.* Serie en la que los empleados de una oficina cuentan a sus compañeros sus problemas y expresan su estado de ánimo ante la máquina de café. (SS).
22.00 *Supervivientes: perdidos en el Caribe.*

1.15 *TNT.* Late show. Presentado por Yolanda Flores. (18).
2.20 *Informativos Telecinco.*
2.30 *Infocomerciales.* Espacio promocional.
5.30 *Nocturnos.* Momentos de música clásica.

Mayores de 7 años (7). Mayores de 13 años (13). Mayores de 18 años (18). Subtitulado para sordos (SS).

ACTIVIDAD 15. Ir al cine. Before going to the movies you always like to read about the film you plan to see. Read the description below, and answer the questions.

EL CÓDIGO DA VINCI, *EEUU. 2006.*
2h. 29 m. Suspenso. Dir: Ron Howard
con Tom Hanks, Audrey Tautou,
Alfred Molina e Ian McKellen.
Guión: Akiva Goldsman. Robert
Langdon investiga la muerte de una
persona y descubre, por accidente,
una sociedad secreta.

1. ¿Qué tipo de película es ésta? _____

2. ¿Quién es el director? _____

3. ¿Quién es el personaje principal de la película? _____

4. ¿Cómo se llaman los actores principales de la película? _____

_____

5. ¿Qué descubre el personaje principal por accidente? _____

_____

ACTIVIDAD 16. El cine. You have been invited to perform the leading role in a movie that will take place in San Juan, Puerto Rico, and you need to make sure you know your film vocabulary in Spanish. Write the correct word from the list next to its definition.

reseña	argumento	guión
pantalla	actor	actriz

1. El que hace un papel en una película: _____

2. La que hace un papel en una película: _____

3. Un sinónimo para la historia principal de una película: _____

4. El documento de los diálogos de la película: _____

5. El artículo que escriben los críticos sobre la película: _____

6. En el teatro, el sitio donde vemos la película: _____

Giving instructions and making requests: Formal commands

ACTIVIDAD 17. Haga... , No haga... Complete the sentences with the appropriate **usted** or **ustedes** command for each of the indicated verbs.

1. (Pagar) _____ usted sus cuentas pronto.

2. (Tocar) _____ usted el piano solamente entre las 8 y las 10 de la noche.

3. (Ser) _____ ustedes buenos con sus amigos.

4. (Apagar) _____ ustedes la televisión.

5. (Vestirse) _____ usted rápidamente por la mañana.

6. (Dormir) _____ usted más.

7. ¡(Salir) _____ ustedes por la puerta y no (irse) _____

   por la ventana!

8. (Llegar) _____ ustedes temprano a mi fiesta.

9. (Comer) _____ ustedes la cena que yo preparé.

10. (Pensar) _____ usted en su futuro y no (hacer) _____

    nada tonto.

11. No (dormirse) _____ ustedes en sus coches cuando conducen.

12. (Escribir) _____ usted una lista de las cosas importantes en su vida.

ACTIVIDAD 18. ¡Por favor, sea más positivo! You have a friend who is always negative. Rewrite her commands in the positive, making all changes necessary. Pay special attention to the placement of pronouns.

► **MODELO:** No lo envíen. _Envíenlo._ _____

1. No se duerma. _____

2. No nos escriban. _____

3. No me pague. _____

4. No me den el cheque. _____

5. No lo comiencen. _____

6. No la saque. _____

7. No se vayan. _____

ACTIVIDAD 19. ¡Déselo! Rewrite each sentence, replacing each highlighted word with the appropriate pronoun and making any other necessary changes.

▶ MODELO: Resérvenos **la mesa** para el lunes. _Resérvenosla para el lunes._

1. Mándelo **a María.** _____

2. Páguenme **este trabajo** con dinero norteamericano. _____

3. Deme **las noticias** ahora. _____

4. Explíquenme **la idea** claramente. _____

Using adverbs ending in *-mente*

ACTIVIDAD 20. Trabajando felizmente. Convert the following adjectives into adverbs.

▶ MODELO: feliz _felizmente_

1. rápido _____   3. fácil _____

2. alegre _____   4. irregular _____

ACTIVIDAD 21. Yo. Complete each of the following sentences with the correct form of an adverb ending in **-mente** that describes your actions.

1. Yo hablo _____.   3. Yo me duermo _____.

2. Yo salgo _____.   4. Yo estudio _____.

Lectura

ACTIVIDAD 22. Roque y Diana. Read the following text and answer the questions in complete sentences.

A Roque y a Diana les gusta ir al cine. Prefieren las películas cómicas. Su película favorita es *Guantanamera,* una película cubana dirigida por Tomás Gutiérrez Alea. Es sobre el viaje de un ataúd (*coffin*) de una ciudad a otra en Cuba antes de su entierro en La Habana. Es una sátira sobre el comunismo en Cuba y muchas cosas cómicas ocurren en este viaje. El director es muy famoso y unas de las películas de él son: *Cartas del parque, Fresa y chocolate* y *La muerte de un burócrata.*

1. ¿A Roque y a Diana, qué les gusta hacer? _____

   _____

2. ¿Cuál es la película favorita de ellos? _____

   _____

3. ¿Quién es el director? _____

4. ¿Cómo se llaman otras películas de este director? _____

   _____

5. ¿Qué tipo de película es? _____

6. ¿Te gusta esta clase de películas? ¿Por qué? _____

   _____

Escritura

Writing Strategy: Freewriting

ACTIVIDAD 23. Mi cantante favorito/a. In the blank space that follows, write a description of your favorite artist or musical group. Use the freewriting technique described on p. 233 of your textbook. After freewriting in Spanish, write an outline for a composition in the space provided. Include information such as musical style, instruments played, favorite song, country of artist, and a brief biography. Once your outline is completed, write your composition in the space indicated. (Minimum: 50 words)

Freewriting

Outline

Composición: El concierto

_____

_____

_____

_____

_____

_____

_____

_____

_____

_____

UNIDAD 7

De compras

PRIMER PASO

Talking about stores and shopping

ACTIVIDAD 1. De compras. Ayer ganaste la lotería y hoy vas de compras con tus amigos. ¿Qué compras?

1. En la librería compro _____.

2. En la florería compro _____.

3. En la farmacia compro _____.

4. En el almacén compro _____, _____ y

    _____.

5. En la papelería compro _____, _____

    y _____.

6. En la zapatería compro _____.

Shopping for clothes

ACTIVIDAD 2. Ropa. Pon la letra de la palabra en inglés de la columna **B** que mejor corresponda a la palabra en español de la columna **A**.

A	**B**
1. _____ botas	**a.** *coat*
2. _____ sombrero	**b.** *raincoat*
3. _____ calcetines	**c.** *jacket*
4. _____ vestido	**d.** *suit*
5. _____ chaqueta	**e.** *cap*
6. _____ abrigo	**f.** *hat*
7. _____ guantes	**g.** *underwear*
8. _____ impermeable	**h.** *socks*
9. _____ ropa interior	**i.** *stockings*
10. _____ traje	**j.** *dress*
11. _____ gorra	**k.** *boots*
	l. *gloves*

ACTIVIDAD 3. ¿Qué lleva Emilia? Tu amiga de Bolivia se vistió durante un apagón (falta de electricidad), así que su conjunto es un poco raro. Selecciona los artículos de ropa que lleva, según el dibujo. Puede haber más de una respuesta correcta.

1. zapatos: _____
   a. sandalia   **b.** de tenis   **c.** de tacón alto   **d.** de tacón bajo

2. blusa: _____
   a. de manga corta   **b.** de manga larga   **c.** de puntos   **d.** de rayas

3. pantalones: _____
   a. cortos   **b.** largos   **c.** de rayas   **d.** de moda

4. en la cabeza (*head*): _____
   a. gorra   **b.** cinturón   **c.** sombrero   **d.** abrigo

5. en la mano: _____
   a. calcetín   **b.** guante   **c.** saco   **d.** medias

6. Lleva pantalones y _____.
   a. traje   **b.** vestido   **c.** camisa   **d.** blusa

ACTIVIDAD 4. La fiesta. Discutes la fiesta de anoche con una amiga. Carmen llegó bien vestida, pero Jorge estaba muy mal vestido. Completa las oraciones con palabras lógicas de la lista.

vestido	camiseta	tacón alto	algodón	botas	tenis
traje	mancha	seda	estrechos	gorra	puntos
falda	medias	lana	sucios	sombrero	rayas

Carmen: Llevaba un (1) _____ con una blusa de (2) _____ y una

(3) _____ de (4) _____. Tenía zapatos de (5) _____. También

llevaba (6) _____.

Jorge: Llegó vestido de una chaqueta de (7) _____ y una camisa de (8) _____

con una (9) _____. Sus pantalones eran de (10) _____ y le quedaban

(11) _____. Sus zapatos eran de (12) _____ y estaban (13) _____.

También llevaba (14) _____.

ACTIVIDAD 5. Vestidos. Ayer Rosa fue de compras porque necesitaba un vestido para una fiesta especial. Completa el diálogo de Rosa con la dependiente.

DEPENDIENTE: Buenos días, ¿en qué puedo servirle?

ROSA: _____.

DEPENDIENTE: ¿Para qué ocasión?

ROSA: _____.

DEPENDIENTE: ¿De qué talla?

ROSA: _____.

DEPENDIENTE: ¿De qué color?

ROSA: _____.

DEPENDIENTE: Aquí tiene usted tres. Puede ir al probador.

ROSA: Gracias.

DEPENDIENTE: ¿_____?

ROSA: Me llevo estos dos.

DEPENDIENTE: ¿_____?

ROSA: No, gracias, y muchas gracias por su ayuda.

Contrasting the preterite and the imperfect

ACTIVIDAD 6. Ropa nueva. Lee el siguiente párrafo. Después, escribe tres verbos que están en el pretérito y tres verbos que están en el imperfecto. Finalmente, contesta las preguntas sobre el párrafo.

Cuando yo era pequeño, vivía en el norte de Colombia pero hace dos años mi familia y yo salimos de Colombia para vivir en Argentina. Por eso tuve que comprar mucha ropa de invierno.

Yo fui al almacén Peralta porque necesitaba botas, un abrigo, un sombrero y unos guantes. La dependiente era muy amable y me ayudó mucho. Me gustó toda la ropa y compré mucha. Al salir, me probé una gorra, pero era muy grande y no me gustó. ¡Menos mal, porque tenía un precio muy alto y yo ya llevaba tres sombreros, dos pares de botas, dos abrigos, tres pares de guantes y un impermeable!

Pretérito   **Imperfecto**

_____   _____

_____   _____

_____   _____

1. ¿Dónde vivía yo cuando era pequeño?

   a. Usted vivía en Argentina.   b. Usted vivía en Colombia.

2. ¿Qué hicimos mi familia y yo hace dos años?

   a. Salieron de Colombia.   b. Vivieron en el sur.

3. ¿Qué necesitaba?

   a. Necesitaba ropa.   b. Necesitaba dinero.

4. ¿Qué me probé al salir de la tienda?

   a. Usted se probó una chaqueta.   b. Usted se probó una gorra.

5. ¿Por qué no la compré?

   a. Porque era muy pequeña.   b. Porque no le gustó.

ACTIVIDAD 7. Buena suerte. Completa cada oración con la forma correcta del verbo indicado en el pretérito o el imperfecto.

Ayer (1) (ser) _____ un día magnífico. (2) (Ser) _____ muy temprano

cuando yo (3) (despertarse) _____, pero yo (4) (levantarse) _____

tarde, porque no (5) (tener) _____ prisa. El presidente de la universidad

(6) (cancelar) _____ las clases porque (7) (nevar) _____ mucho.

Yo (8) (mirar) _____ un poco de televisión, (9) (estudiar) _____ por

tres horas y (10) (hablar) _____ mucho por teléfono con mis amigos. Más tarde, yo

(11) (leer) _____ un libro y de pronto nosotros (12) (perder) _____

la electricidad y yo no (13) (poder) _____ leer nada más por el resto de la noche.

(14) (Ser) _____ las diez de la noche cuando por fin (15) (dejar) _____

de nevar. Yo siempre (16) (estudiar) _____ por las noches, pero anoche yo no lo

(17) (hacer) _____.

ACTIVIDAD 8. El vestido de Carmen. Carmen acaba de comprar un vestido especial. Lee el siguiente párrafo, completándolo con las formas correctas de los verbos indicados en el pretérito o el imperfecto, según el contexto.

Un día Carmen (1) (ir) _____ de compras aunque realmente ella no

(2) (tener) _____ que comprar nada. Pero cuando ella (3) (ver) _____

un vestido elegante ella (4) (querer) _____ comprarlo aunque no

(5) (llevar) _____ mucho dinero en su cartera. Allí Carmen

(6) (conocer) _____ a Lili, una estudiante de la clase de biología, y

(7) (saber) _____ que ella también (8) (querer) _____

comprar el vestido y que ella (9) (ser) _____ de la misma talla que Carmen. Lili

(10) (tener) _____ mucho dinero pero ella (11) (no querer) _____

(*refused*) ayudarle a Carmen. Lili (12) (comprar) _____ el vestido para sí misma.

(13) (Pasar) _____ tres meses y Lili (14) (perder) _____ interés

en el vestido. Por fin ella se lo (15) (vender) _____ a Carmen por la mitad del

precio original.

Cultura

ACTIVIDAD 9. La ropa de ayer y hoy. Lee el siguiente texto y luego contesta las preguntas con oraciones completas.

En la época de los incas, la gente de las regiones frías de los Andes fabricaba su ropa de algodón o de lana de animales como la alpaca, la llama o la vicuña. La lana de vicuña era muy fina y estaba reservada para los monarcas incas.

En nuestra época contemporánea, después de la invención de las fibras sintéticas derivadas del petróleo como el nilón, el poliéster y el rayón, hay más variedad de fibras para la ropa. Actualmente, mucha gente todavía prefiere las fibras naturales como el algodón, la seda y la lana fina.

Unas alpacas en Bolivia

1. ¿Cuáles son algunos textiles que se usaban en la época de los incas?

   _____

2. ¿Qué otras fibras usa la gente en nuestra época contemporánea?

   _____

3. ¿De qué fibra es la ropa que llevan hoy tú y tus compañeros/as?

   _____

4. ¿Cuál es la fibra que prefieres para tu ropa?

   _____

SEGUNDO PASO

Bargaining in a marketplace

ACTIVIDAD 10. Regateando. Estás en el mercado y quieres comprar unas cosas, pero no tienes mucho dinero. Completa la siguiente conversación con palabras apropiadas de la lista. Usa tu imaginación para los precios y escribe los números en español.

collar de plata

tapiz

cuesta

pendientes

tapete

cuánto

DEPENDIENTE: Buenos días.

TÚ: Buenos días. Me gusta ese anillo. ¿Cuánto (1) _____?

DEPENDIENTE: (2) _____ dólares.

TÚ: (3) ¡_____ dólares! Es demasiado. Un

(4) _____ cuesta menos. ¿Y esos (5) _____?

DEPENDIENTE: (6) _____ dólares.

TÚ: ¡No, no! ¡Es demasiado! Además, ya tengo bastantes pendientes. Pero ese

(7) _____ de lana, (8) ¿_____ cuesta?

DEPENDIENTE: (9) _____ dólares.

TÚ: ¡Ah, mejor! Pero solamente tengo (10) _____ dólares. ¿Me lo vende?

DEPENDIENTE: No, pero ¿qué le parece este (11) _____ con el jaguar? Le va a costar

solamente (12) _____ dólares.

TÚ: Está bien. Aquí tiene el dinero.

Asking for and giving directions

ACTIVIDAD 11. ¿Cómo llego a... ? Di cómo se llega a los siguientes lugares en tu ciudad, comenzando desde el centro de la ciudad. Usa los mandatos formales de los siguientes verbos: **doblar, pasar, seguir, parar, subir, bajar.**

1. a la biblioteca pública: _____

_____

_____

2. a tu restaurante favorito: _____

_____

_____

3. al cine: _____

_____

_____

4. al parque: _____

_____

_____

Making comparisons

ACTIVIDAD 12. Comparaciones. Completa la primera oración comparativa y escribe su equivalente, siguiendo el modelo.

▶ **MODELO:** (alto) **a.** La casa es menos _____*alta que*_____ la iglesia.

　　　　　　　　　　　b. La iglesia es _____*más alta que*_____ la casa.

1. (guapo) **a.** Yo soy más _____ Carolina.

　　　　　b. Carolina es _____ yo.

2. (caro) **a.** Mi traje es menos _____ el traje de David.

　　　　b. El traje de David es _____ mi traje.

3. (cómico) **a.** Mi tío es menos _____ mi tía.

　　　　　b. Mi tía es _____ mi tío.

4. (trabajador) **a.** Ellos son más _____ el presidente.

　　　　　　b. El presidente es _____ ellos.

ACTIVIDAD 13. Superlativos. Basándote en la oración en inglés, escribe las palabras necesarias para completar cada oración en español.

1. Susana es _____ chica _____ inteligente _____ la clase.

   Susana is the most intelligent girl in the class.

2. Fernando es _____ peor actor _____ la universidad.

   Fernando is the worst actor in the university.

3. Aurora y Griselda son _____ dependientes _____ trabajadoras _____ almacén.

   Aurora and Griselda are the hardest working clerks in the department store.

ACTIVIDAD 14. Igualdades. Completa las oraciones para hacer comparaciones de igualdad.

► MODELO: Luz es _tan_ alta _como_ Luis.

1. Lucas es _____ guapo _____ Enrique.

2. Yo tengo _____ vestidos _____ ella.

3. Él estudia _____ yo.

4. Patricia baila _____ Federico.

5. Dorotea come _____ rápidamente _____ su perro.

ACTIVIDAD 15. Igualdad y desigualdad. Escribe una oración que exprese la relación indicada con palabras comparativas.

► MODELO: María tiene diez dólares. Ana tiene ocho dólares.

   María tiene más dinero que Ana. (Ana tiene menos dinero que María.)

1. Maite tiene tres libros y Roberto tiene tres libros.

   _____

2. La falda cuesta ochenta dólares y la blusa cuesta sesenta dólares.

   _____

3. Isabel tiene cincuenta pares de zapatos y Clotilde tiene tres pares de zapatos.

   _____

4. Juan estudia mucho y Miguel estudia mucho.

   _____

5. Jaime tiene ochenta y cinco años y Estela tiene sesenta y ocho años.

   _____

ACTIVIDAD 16. Posesión. Vuelve a escribir cada oración, reemplazando la palabra enfatizada con su equivalente, usando la forma correcta del pronombre posesivo (**la mía, el mío, los míos, las mías, el tuyo,** etc.).

▸ **MODELO:** Mi casa es más grande que **tu casa.**

Mi casa es más grande que la tuya.

1. Su universidad es mejor que **nuestra universidad.**

_____

2. Mis libros son más interesantes que **los libros de Catalina.**

_____

3. Mi hermana es más alta que **su hermana.**

_____

Lectura

ACTIVIDAD 17. Miguel y Carolina. Lee el siguiente texto y luego contesta las preguntas con oraciones completas.

Hoy Miguel y Carolina recibieron una invitación a una fiesta elegante esta noche para celebrar el cumpleaños de su amigo Raúl. Fueron inmediatamente en su coche a comprar ropa nueva para la ocasión.

Primero fueron a una zapatería, donde Carolina compró un par de zapatos de tacón alto. A Miguel no le gustaron los zapatos para hombres allí, así que decidieron ir al almacén que estaba cerca. En el almacén Miguel compró unos zapatos elegantes y unos zapatos de tenis. Carolina compró unas sandalias y un vestido de fiesta. Miguel fue a la sección de hombres y compró un traje. También compraron un reloj como regalo para Raúl. Los dos gastaron mucho dinero, pero por fin estaban listos para la fiesta.

Regresaron a casa y se vistieron rápidamente. Llegaron a la fiesta un poco tarde pero se divirtieron mucho y a todos les gustó su ropa. ¡Eran los más elegantes de la fiesta!

1. ¿Qué recibieron Carolina y Miguel hoy?

_____

2. ¿A dónde fueron en su coche?

_____

3. ¿Qué compraron en la zapatería?

_____

4. ¿Qué compraron en el almacén?

_____

_____

5. ¿Cuándo llegaron la fiesta?

_____

6. ¿Qué les gustó a todos?

_____

7. ¿Quiénes eran los más elegantes de la fiesta?

_____

Escritura

Writing Strategy: Paraphrasing

ACTIVIDAD 18. El Perú. Lee la siguiente información sobre el Perú. Luego haz un resumen corto de cada oración en esta lectura.

En la sierra (*mountain range*) peruana están Cuzco, la antigua capital del reino de los incas, y la misteriosa ciudad de Machu Picchu. El río Amazonas nace en la sierra peruana con el nombre de Marañón y es el habitat de las pirañas, de los delfines rosados y de las anacondas. El Perú comparte (*shares*) la gran herencia (*heritage*) cultural incaica con Bolivia, el Ecuador, el sur de Colombia, y el norte de la Argentina y Chile. Los idiomas oficiales son el español, el quechua y el aimará.

Turistas en Machu Picchu, Perú

1. _____
2. _____
3. _____
4. _____

ACTIVIDAD 19. Resumen: Sudamérica. Ahora ve a la biblioteca o usa la red mundial (*World Wide Web*) para buscar información en español sobre uno de los siguientes países: Venezuela, Colombia, Ecuador, Bolivia, Chile, Paraguay, Uruguay o Argentina. Imprime o fotocopia este texto. Luego haz un resumen de las ideas más importantes. ¡OJO! Debes entregar una copia del texto original con tu resumen. También debes incluir el título, la publicación o la dirección electrónica del texto.

_____

_____

_____

_____

_____

_____

_____

_____

_____

94   *Caminos* ► Workbook Activities

UNIDAD 8

∫alud y bienestar

PRIMER PASO

Identifying parts of the body

ACTIVIDAD 1. El cuerpo. Completa cada oración con la forma correcta del verbo y el nombre apropiado del vocabulario sobre el cuerpo para describir lo que hace la persona.

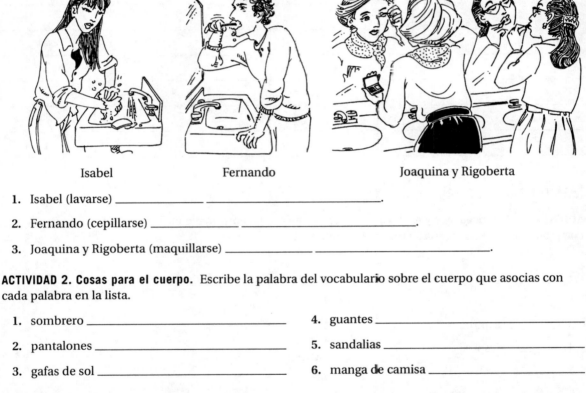

Isabel   Fernando   Joaquina y Rigoberta

1. Isabel (lavarse) _____ _____.

2. Fernando (cepillarse) _____ _____.

3. Joaquina y Rigoberta (maquillarse) _____ _____.

ACTIVIDAD 2. Cosas para el cuerpo. Escribe la palabra del vocabulario sobre el cuerpo que asocias con cada palabra en la lista.

1. sombrero _____

2. pantalones _____

3. gafas de sol _____

4. guantes _____

5. sandalias _____

6. manga de camisa _____

ACTIVIDAD 3. Conexiones. Tú y tus amigos venezolanos están estudiando anatomía y necesitan saber dónde están las distintas partes del cuerpo. Completa cada oración con una palabra para el cuerpo y el artículo definido apropiado.

1. La mano está unida con _____.

2. El pie está unido con _____.

3. Las orejas están unidas con _____.

4. Los dientes están en _____.

ACTIVIDAD 4. El monstruo. Mira la versión artística de un monstruo de otro planeta que llegó ayer a tu universidad. Descríbelo, usando el vocabulario sobre el cuerpo y los adjetivos. Y también escribe algo interesante sobre este monstruo: sus gustos, su personalidad, sus actividades. (Mínimo: 35 palabras)

_____

_____

_____

_____

_____

_____

_____

Making a doctor's appointment

ACTIVIDAD 5. Enfermedades y medicinas. Pon la letra de la palabra en inglés de la columna B que corresponda a la palabra en español de la columna A.

A	B
1. _____ gripe	**a.** *to bleed*
2. _____ oído	**b.** *aspirin*
3. _____ aspirina	**c.** *tongue*
4. _____ respirar	**d.** *healer*
5. _____ yeso	**e.** *to breathe*
6. _____ curandero	**f.** *syrup*
7. _____ sangrar	**g.** *flu*
8. _____ jarabe	**h.** *to hurt*
9. _____ evitar	**i.** *inner ear*
10. _____ lengua	**j.** *cast*
11. _____ píldora	**k.** *pill*
12. _____ doler	**l.** *to avoid*

ACTIVIDAD 6. Presente del subjuntivo. Selecciona la letra del verbo que complete cada oración correctamente.

1. Es necesario que tú te (probar) _____ este vestido.   **a.** pruebas   **b.** pruebes

2. Es esencial que el médico nos (ver) _____ hoy.   **a.** ve   **b.** vea

3. Queremos que ellas no (saber) _____ que trabajo en la florería.   **a.** sepan   **b.** saben

4. Es importante que los niños (jugar) _____ todos los días.   **a.** jugaron   **b.** jueguen

5. Es necesario que tú (beber) _____ mucha agua.   **a.** bebas   **b.** bebes

6. Le ruego a Pedro que me (dar) _____ el dinero ahora.   **a.** dé   **b.** da

7. Quieren que nosotras (poner) _____ los paquetes en la mesa.   **a.** ponemos   **b.** pongamos

8. Es preferible que tú (venir) _____ a mi casa temprano.   **a.** vengas   **b.** vienes

9. Es necesario que ellas (ser) _____ honestas conmigo.   **a.** son   **b.** sean

10. No quiero que ustedes (perder) _____ tiempo esperándome.   **a.** pierdan   **b.** pierden

11. Ellos quieren que yo les (escribir) _____ todos los días.   **a.** escribo   **b.** escriba

12. Es esencial que tú (estar) _____ aquí temprano para trabajar.   **a.** estés   **b.** estás

Expressing requests and emotions: Present subjunctive

ACTIVIDAD 7. Enfermedades. Según las siguientes situaciones, ¿qué debo hacer? Escribe oraciones completas, usando verbos en el subjuntivo.

▶ **MODELO:**   Creo que tengo el tobillo fracturado.
              Recomiendo que vayas a la sala de emergencia.

1. Estoy vomitando mucho.

   _____

2. Creo que tengo el brazo roto.

   _____

3. Estoy estornudando y tosiendo mucho.

   _____

4. Siempre estoy cansado y no puedo dormir.

   _____

5. No puedo respirar bien.

   _____

6. No puedo hablar.

   _____

7. No puedo levantarme.

   _____

8. Tengo escalofríos.

   _____

ACTIVIDAD 8. Deseos y opiniones. Escribe la forma correcta del presente del subjuntivo del verbo indicado.

1. Es necesario que ellos (recoger) _____ los papeles.

2. Sugiero que tú (comprar) _____ un coche nuevo.

3. Ellos quieren que yo (decir) _____ la verdad.

4. No quiero que ella (morir) _____ en el hospital.

5. Es importante que los niños (cruzar) _____ la calle con un adulto.

6. Les aconsejamos que ustedes (pedir) _____ regalos.

7. Es necesario que nosotros (salir) _____ antes de las diez de la noche.

8. Deseamos que usted (llegar) _____ a las cuatro de la tarde.

9. Es importante que ella (traducir) _____ el libro.

10. Yo prefiero que ellos no (sacar) _____ mucho dinero del banco.

ACTIVIDAD 9. Doña Arrogante. Tu madre conoce a una señora que siempre tiene una opinión sobre todo. Un día decides visitarla y éstos son unos de sus comentarios. Completa cada oración con la forma correcta del verbo en el presente del subjuntivo.

1. Me gusta que tú (ir) _____ a Paraguay.

2. Me sorprende que tú no (probarse) _____ el traje que yo te compré en Bolivia.

3. Es ridículo que tú y tus amigos (empezar) _____ las clases tan temprano.

4. Es bueno que tú le (dar) _____ tu dinero a tu amigo.

5. Me enoja que tú me (pedir) _____ tantos regalos.

6. Lamento que tú no (pensar) _____ más en mí.

7. Me molesta que (haber) _____ tantas personas más ricas que yo en nuestra ciudad.

8. Siento que tú no (poder) _____ ir a mi fiesta en Montevideo.

9. Tengo miedo de que tus amigos (volver) _____ de Chile sin comprarme un regalo.

10. Es terrible que tú siempre (repetir) _____ mis palabras.

ACTIVIDAD 10. Deseos. Completa cada oración en español con las palabras necesarias, incluyendo la forma correcta del verbo en el presente del subjuntivo.

1. Te aconsejo que _____ a España. *I advise you to go to Spain.*

2. Es necesario que _____ por ocho horas. *It's necessary for them to sleep eight hours.*

3. Le ruego a usted que _____ más lentamente. *I beg you to drive more slowly.*

4. Es esencial que _____ la dirección. *It is essential they remember the address.*

5. Les sugerimos que _____ la cuenta. *We suggest you pay the bill.*

ACTIVIDAD 11. Emociones y deseos. Tu amiga María tiene muchas opiniones. Completa cada una de las siguientes oraciones con la forma correcta del verbo indicado, en el subjuntivo o el infinitivo, para expresar lo que ella piensa.

1. Es ridículo que ustedes no _____ al supermercado si no tienen comida saludable en casa.

   a. ir   **b.** vas   **c.** vayan   **d.** fueron

2. Espero que el programa sobre Uruguay _____ temprano.

   a. empezar   **b.** empiece   **c.** empieza   **d.** empezó

3. Lamento que ella _____ una gripe terrible.

   a. tener   **b.** tenga   **c.** tuve   **d.** tiene

4. Es una lástima que nosotros _____ tanto dinero.

   a. perder   **b.** perdemos   **c.** perdimos   **d.** perdamos

5. Me sorprende que estos niños _____ tanto.

   a. dormir   **b.** durmieron   **c.** duerman   **d.** duermen

6. Siento mucho que tú _____ tan enferma.

   a. estar   **b.** estés   **c.** estuviste   **d.** estás

7. Tengo miedo de que ellos no _____ al aeropuerto antes de la salida del avión para Caracas.

   a. llegar   **b.** llegaron   **c.** llegan   **d.** lleguen

8. Es ridículo que nosotras _____ sobre nuestros novios.

   a. mentir   **b.** mintamos   **c.** mentimos   **d.** mintieron

9. Es mejor _____ bien si quieres tener buena salud.

   a. comer   **b.** comas   **c.** comes   **d.** comieron

10. Ellos temen que nosotros _____ de hambre.

    a. morirnos   **b.** morir   **c.** morirse   **d.** nos muramos

ACTIVIDAD 12. Estrés. ¿Qué deben hacer estas personas en las siguientes situaciones? Da tus consejos usando un verbo apropiado en el presente del subjuntivo. Escribe oraciones completas.

1. Esmeralda sufre de mucho estrés. Fuma cigarrillos y mira mucha televisión. ¿Qué le aconsejas?

   _____

2. Hugo también sufre de estrés. No come, no duerme más de cuatro horas diariamente, ni habla con nadie. ¿Qué recomiendas?

   _____

3. Pepita siempre habla por teléfono, bebe mucho café y come mucho. ¿Qué le aconsejas?

   _____

4. Federico pasa un mínimo de cinco horas diarias en Internet. ¿Qué le sugieres?

   _____

Cultura

ACTIVIDAD 13. La hamaca. Estás muy cansado/a y quieres comprar algo especial. Para saber más sobre la hamaca, lee el siguiente párrafo y selecciona las respuestas correctas para completar las oraciones según la información de la lectura.

A veces el mejor remedio para el estrés es sencillamente dormir. Una buena hamaca puede dar un modo de descanso para un cuerpo muy cansado. La hamaca tuvo su origen en las regiones del Caribe. Actualmente la hamaca es tan popular que existe en multitudes de variedades. Muchas regiones tienen su propio estilo de hamacas, por ejemplo las hamacas llamadas *chinchorros* del Caribe colombiano y venezolano, los cuales son de macramé o de crochet, con boleros (*folds*) por los lados. Las hamacas son excelentes para mecerse (*to swing*), si usted quiere dormir en el campo lejos de reptiles y otros animales o simplemente para descansar. ¡Es muy importante poner la hamaca en un sitio seguro!

1. A veces el mejor remedio si tienes una vida muy complicada es _____.
   a. dormir   **b.** trabajar   **c.** comer

2. Puedes descansar en _____.
   a. una cama   **b.** una hamaca   **c.** una alfombra

3. Las primeras hamacas fueron hechas originalmente en _____.
   a. España   **b.** México   **c.** el Caribe

4. Los *chinchorros* son de _____.
   a. macramé   **b.** papel   **c.** algodón

5. Es importante poner la hamaca en un sitio no muy cerca de _____.
   a. los boleros   **b.** los reptiles   **c.** los lados

SEGUNDO PASO

Learning about foods and nutrition

ACTIVIDAD 14. Clases de comidas. Pon la letra del grupo apropiado (**B**) al lado de cada comida (**A**). Algunas comidas pertenecen a más de un grupo.

A	B
1. _____ gambas	**a.** productos lácteos
2. _____ pan	**b.** mantequilla y carnes rojas
3. _____ queso	**c.** legumbres y vegetales
4. _____ naranjas	**d.** frutas
5. _____ helado	**e.** pescado, pollo y huevos
6. _____ manzanas	**f.** dulces
7. _____ bistec	**g.** granos
8. _____ flan	
9. _____ cereal	

ACTIVIDAD 15. Calorías y grasa. Contesta las preguntas después de mirar la foto y leer el texto.

Lo bueno de una manzana y de las frutas es que no tiene que ponerse a pensar en los gramos de grasa que contienen

LA CLAVE ES MODERACION, VARIEDAD Y SENCILLEZ

SOLO LA TERCERA PARTE DE SUS CALORIAS DIARIAS DEBEN PROVENIR DE ALIMENTOS CON GRASA

¿Basta reducir la grasa para bajar de peso? Por lo general, al principio de una dieta sin grasa, la persona baja de peso rápidamente, pero después de estar en la dieta largo tiempo, el cuerpo aprende a guardar las calorías. Lo mejor es comer menos, alimentarse de modo sano, con moderación, y ejercitarse.

1. ¿Por qué son buenas las manzanas y las frutas?

   _____

2. ¿Qué pasa al principio de una dieta sin grasa?

   _____

3. ¿Qué pasa después de largo tiempo en una dieta sin grasa?

   _____

4. ¿Qué aconseja el autor del artículo que hagamos?

   _____

Discussing progressive actions in the past: Past progressive

ACTIVIDAD 16. Cuando estabas estudiando... ¿Qué estaban haciendo tus amigos mientras tú estabas estudiando en la biblioteca? Completa las siguientes oraciones con la forma correcta del verbo indicado.

► **MODELO:** Carlos (comer) _estaba comiendo_____ con Silvia en un restaurante elegante.

1. Guillermo (bailar) _____ el tango en una discoteca argentina.

2. Felipe (comprar) _____ carne en el supermercado.

3. Patricia (leer) _____ un libro sobre la alimentación saludable.

4. Antonio (conducir) _____ al mercado local.

5. Marco (vender) _____ manzanas en el supermercado.

6. Ellos (**dormir**) _____ en la biblioteca.

7. Tú (**divertirse**) _____ mucho en la fiesta.

ACTIVIDAD 17. Cuando usted llegó. ¿Qué estaban haciendo tú y tus amigos cuando yo llegué de mi viaje al Ecuador? **Contesta** las preguntas de dos maneras, reemplazando las palabras subrayadas con pronombres. Sigue el modelo.

► **MODELO:** ¿Mirabas la televisión cuando yo llegué?
Sí, la estaba mirando cuando usted llegó.
Sí, estaba mirándola cuando usted llegó.

1. ¿Leías tus libros cuando yo llegué?

a. _____

b. _____

2. ¿Tocabas el piano cuando yo llegué?

a. _____

b. _____

3. ¿Plantaban ustedes rosas amarillas cuando yo llegué?

a. _____

b. _____

4. ¿Tus amigos se ponían el impermeable cuando yo llegué?

a. _____

b. _____

Expressing doubt or certainty: Present subjunctive / indicative

ACTIVIDAD 18. Duda o certeza. Completa los comentarios de tu amigo Rafael con la forma correcta del verbo, en el subjuntivo o el indicativo, según el contexto.

1. Quizás yo (tengo / tenga) bastante dinero para viajar a Bolivia. No estoy seguro.

2. No creo que este restaurante (sirve / sirva) comida saludable.

3. Dudo que ella (pierde / pierda) su tiempo leyendo ese libro.

4. Ella cree que yo (sé / sepa) todos los nombres de las enfermedades.

5. No estamos seguras de que ellos (se divierten / se diviertan) mucho con nosotras.

6. ¡No es verdad que yo siempre (miento / mienta)!

7. Es imposible que (pierdes / pierdas) tantas cosas importantes.

8. Niego que Esteban (es / sea) culpable.

9. No es verdad que ella (juega / juegue) bien con los niños.

10. Es evidente que él (toca / toque) bien la guitarra.

ACTIVIDAD 19. Dudas. Un niño no quiere ir a la escuela. Completa cada oración con la forma apropiada del subjuntivo o indicativo, según el contexto. ¡OJO! Puede haber verbos en el pasado.

ROSA: Roberto, el niño dice que (1) (tener) _____ dolor de estómago, pero

creo que él (2) (mentir) _____.

ROBERTO: Dudo que (3) (mentir) _____ sobre eso, ¿no te parece? Tal vez comió

mucho anoche.

ROSA: Bueno, es verdad que él (4) (comer) _____ bastante anoche, pero

dudo que por eso (5) (tener) _____ dolor de estómago hoy.

ROBERTO: ¿Y qué piensas tú?

ROSA: Dudo que (6) (ser) _____ verdad porque hoy tiene un examen de

matemáticas y él no estudió anoche.

ROBERTO: Pues creo que tú (7) (tener) _____ razón.

ACTIVIDAD 20. Opuestos. Rosario, tu amiga paraguaya, siempre dice lo contrario de lo que tú dices. Para cada una de las siguientes oraciones, escribe la opinión opuesta. Cambia los verbos según el modelo.

► MODELO: Creo que tiene mucha suerte.
No creo que tenga mucha suerte.

1. Creo que Patricia conoce a Ricardo.

   _____

2. Dudo que ellos sean médicos competentes.

   _____

3. Pero es verdad que ellos juegan con bloques para construir edificios.

   _____

4. Pienso que ellos se van para La Paz mañana.

   _____

5. Es evidente que decimos la verdad.

   _____

Lectura

ACTIVIDAD 21. Los plátanos. Lee el siguiente párrafo y en las oraciones que siguen pon **V** si la oración es **verdadera** y **F** si es **falsa.**

La historia de los plátanos (bananas) es fascinante. No existían en las Américas hasta el siglo XVI. Según la historia, Fray Tomás de Berlanga llegó a Hispaniola (ahora Cuba y la República Dominicana) en 1516 con unas plantas nuevas. Pasaron los años y las plantas se multiplicaron. A principios del siglo XX el comercio de plátanos con los Estados Unidos empezó a ser un negocio muy importante, gracias al transporte rápido por barco. Ahora tenemos plátanos todos los días en nuestros supermercados. Estas frutas nos llegan principalmente del Caribe, de países como Costa Rica, Guatemala, Honduras, Panamá, Nicaragua y La República Dominicana. También hoy en día venden plátanos colombianos, ecuatorianos y peruanos en los supermercados norteamericanos. Comemos los plátanos en todas las comidas y meriendas y son una fruta saludable y común en nuestras dietas. Pero desgraciadamente la historia de la industria de los plátanos y los abusos de los trabajadores es muy triste.

1. _____ Los plátanos existían en Sudamérica antes del siglo XVI.

2. _____ Las personas en los Estados Unidos empezaron a comer plátanos en 1516.

3. _____ En el siglo XX vendieron muchos plátanos en los Estados Unidos.

4. _____ Los plátanos que llegan a los Estados Unidos son principalmente de Cuba.

5. _____ Sólo comemos plátanos de postre.

6. _____ La historia del plátano se asocia solamente con la alegría.

Escritura

Writing Strategy: Using visual organizers (Venn diagrams)

ACTIVIDAD 22. Dos amigos diferentes. Escribe un ensayo breve (de unas 50 palabras) comparando y contrastando a dos amigos/as con dos estilos de vida diferentes. Uno/a tiene un estilo saludable (bueno) y otro/a tiene un estilo de vida no saludable (malo).

Antes de comenzar a escribir:

1. Lee página 299 de tu libro de texto sobre el uso de un diagrama de Venn.
2. Dibuja un diagrama de Venn en una hoja de papel separada según el modelo.
3. Pon palabras que describan a ambos amigos en el centro y a los dos lados pon palabras que sean particulares a cada persona.
4. Compara y contrasta a tus amigos.

▶ **MODELO:**

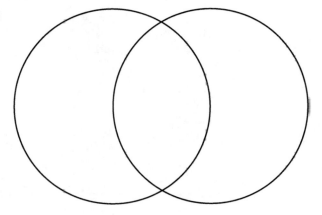

_____

_____

_____

_____

_____

_____

_____

_____

_____

_____

_____

UNIDAD 9

La tecnología

PRIMER PASO

Talking about technology

ACTIVIDAD 1. Cyber-mundo. Vas a viajar a Nicaragua y quieres practicar tu vocabulario técnico para poder navegar por Internet allí. Selecciona la traducción correcta.

1. *computer file*: edificio   archivo   fila   teclado
2. *help*:   botón   hora   directorio   ayuda
3. *printer*:   impresora   impresionante   pintar   pantalla
4. *message*:   masaje   mensaje   masacre   masa
5. *mouse*:   roto   rato   reto   ratón
6. *network*:   red   aparato   trabajo   necio
7. *password*:   palabra   pasaje   contraseña   correo
8. *keyboard*:   llave   tela   llamada   teclado
9. *wireless*:   relámpago   inalámbrico   electrónico   virtual
10. *screen*:   pantalla   parlante   patín   pantalón

ACTIVIDAD 2. El correo electrónico. Tu amigo Guillermo de Honduras acaba de mandarte el siguiente mensaje por correo electrónico. En su mensaje te dice lo que necesitas comprar para tu nueva computadora. Selecciona entre las siguientes palabras para completar las oraciones, haciendo los cambios que sean necesarios.

| impresora | red | documento | calor | dormir |
| ratón | disco duro | portátil | estudiar | |

<De: Guillermo@universidadhondurena.hn
Fecha: Jueves, 21 feb 2008
Para: Bartolome@universidadideal.edu
Asunto: Computadoras

Querido Bartolomé:

    Aquí hace mucho (1) _____ y yo (2) _____ mucho. ¡Tú tienes tías muy generosas! Debes comprar una computadora con un (3) _____; así puedes tener mucha memoria. También es importante comprar una buena (4) _____ para poder tener tus (5) _____ en papel. Si quieres llevar la computadora a tus clases, tiene que ser (6) _____.

    ¡Buena suerte!

Tu amigo,
Guillermo

Contrasting the indicative and subjunctive in adjective clauses

ACTIVIDAD 3. Lo desconocido. Tu amigo Beto siempre busca, necesita o quiere una variedad de cosas. Completa las siguientes oraciones con la forma correcta del verbo, en el presente del subjuntivo o del indicativo.

1. Busco un traductor que (saber) _____ chino.

2. Necesitamos un apartamento que (estar) _____ cerca de la universidad.

3. Uso una computadora que (tener) _____ una pantalla grande.

4. Quiero un precio para esta computadora que (incluir) _____ una impresora.

5. Necesitamos usar unas pantallas que (ser) _____ buenas para nuestros ojos.

6. Necesito a alguien que (saber) _____ escribir en japonés.

7. En mi casa, no hay nadie que (poder) _____ usar un teléfono con pantalla.

8. Tengo una impresora que (estar) _____ cerca de mi computadora.

9. No quiero un buscador que (eliminar) _____ los sitios en español.

10. Busco una cámara digital que (sacar) _____ buenas fotos.

11. No conozco a nadie que (jugar) _____ con los juegos electrónicos.

12. Tengo una grabadora que (ser) _____ muy vieja, pero funciona (*it works*).

Giving instructions: Familiar *tú* commands

ACTIVIDAD 4. Consejos para ser buen/a estudiante. Tu amiga Isabel te da unos buenos consejos para que tengas éxito en tus estudios. Escribe el mandato familiar (de tú) de los verbos indicados.

▶ **MODELO:** (Venir) _Ven_____ a mi casa a las ocho.

1. (Hacer) _____ tu tarea a tiempo.

2. (Estudiar) _____ mucho.

3. (No divertirse) _____ en discotecas todas las noches.

4. (Comer) _____ tres veces al día.

5. (No beber) _____ cerveza.

6. (Leer) _____ muchos libros.

7. (No hacer) _____ demasiadas fiestas.

8. (Dormir) _____ por ocho horas cada noche.

9. (No trabajar) _____ demasiado.

ACTIVIDAD 5. Tecnomanía. Vas a ser presidente de Tecno, una compañía internacional, y necesitas darles muchas instrucciones a los empleados. Escribe el mandato familiar (de tú) de los verbos indicados.

1. (Tener) _____ cuidado con mi computadora.

2. (No tener) _____ miedo de mi robot-camarero.

3. (Salir) _____ por la puerta y no por la ventana.

4. (Decir) _____ la verdad sobre tu archivo.

5. (Escuchar) _____ la música del iPod.

6. (Mirar) _____ la pantalla.

7. (Ser) _____ simpático con tus compañeros de trabajo.

8. (No irse) _____ antes de las ocho de la noche.

9. (Hacer) _____ el trabajo a tiempo.

10. (Poner) _____ la comida en el microondas.

11. (Venir) _____ a mi oficina.

12. (Cerrar) _____ la puerta.

13. (Pedir) _____ permiso antes de entrar.

14. (Irse) _____ de mi oficina.

15. ¡(No volver) _____ a visitarme si llevas tu teléfono celular prendido!

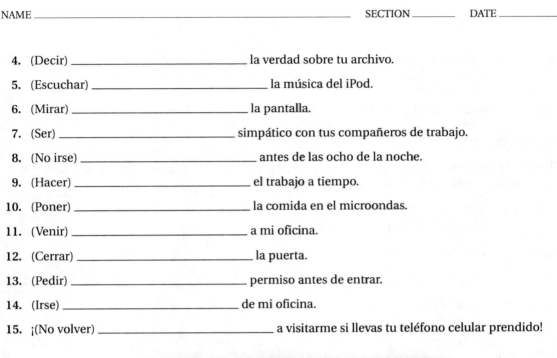

ACTIVIDAD 6. El móvil. Imagina que trabajas en una tienda para teléfonos celulares (móviles) y tienes que darles instrucciones de cómo usarlos a cada uno de tus clientes. Escribe los mandatos indicados para estar listo/a para tus clientes. Usa la forma familiar (de **tú**).

1. (Abrir) _____ el teléfono.

2. (Marcar) _____ el número.

3. (Oprimir) _____ el icono verde.

4. (Hablar) _____ con la persona que conteste.

5. (Terminar) _____ la conversación.

6. (Navegar) _____ por Internet usando el icono especial.

7. (Leer) _____ tu correo electrónico.

8. (Mandar) _____ un mensaje textual.

9. (Sacar) _____ una foto.

10. (Apagar) _____ el teléfono con el icono rojo.

11. (Cerrar) _____ el teléfono.

12. (Cargar) _____ el teléfono para poder usarlo mañana.

Un mandato sugerido por el anuncio:

13. _____

Otra cosa que quieres que tu cliente haga con el teléfono celular (Usa un mandato):

14. _____

ACTIVIDAD 7. Obligaciones. Aurora, tu amiga salvadoreña, siempre te dice lo que debes hacer. Contesta las preguntas con mandatos familiares. Sigue los modelos.

▶ **MODELO:** ¿Debo comprar el coche?
Sí, cómpralo. No, no lo compres.

1. ¿Debo decirte un secreto?

Sí, _____.

2. ¿Debo ponerme los zapatos rojos?

No, no _____.

3. ¿Debo irme?

Sí, _____.

4. ¿Debo bailar el tango?

No, no _____.

5. ¿Debo leer el nuevo libro de Isabel Allende?

Sí, _____.

6. ¿Debo conducir el nuevo coche?

No, no _____.

7. ¿Debo hacer la tarea?

Sí, _____.

Cultura

ACTIVIDAD 8. Guatemala. Lee el párrafo sobre Guatemala y luego contesta las preguntas con oraciones completas.

El pájaro más famoso de Guatemala es el quetzal. Su imagen está en la bandera de Guatemala y en la moneda que usan en el país. Tiene colores muy brillantes y bellos. Los colores del pájaro macho (masculino) son verde, rojo y blanco, con azul en la cola. Su cuerpo es de quince pulgadas (*inches*). Para los mayas el quetzal significa la libertad y la riqueza.

1. ¿Cómo se llama el pájaro más famoso de Guatemala?

   _____

2. ¿Dónde está su imagen?

   _____

3. ¿Qué colores tiene el pájaro macho?

   _____

4. ¿Qué simboliza este pájaro para los mayas?

   _____

SEGUNDO PASO

Discussing cars

ACTIVIDAD 9. Situaciones con el coche. Escribe la palabra o grupo de palabras que se asocian con cada una de estas situaciones. Escoge entre lo siguiente y usa cada palabra o grupo de palabras solamente una vez.

los frenos	el radio	el espejo retrovisor
la puerta	la batería	el aire acondicionado
los limpiaparabrisas	el pito	las luces
las llantas	el cinturón de seguridad	el volante
la bolsa de aire		

1. Conduces sobre la nieve: _____

2. Dejaste las luces y el radio encendidos por muchas horas: _____

3. Quieres escuchar música: _____

4. Conduces por la noche y no puedes ver: _____

5. Llueve mucho: _____

6. Quieres pasarle a otro coche y hay mucho tráfico: _____

7. Necesitas éstos para poder parar el coche: _____

8. Quieres entrar en tu coche: _____

9. Hace mucho calor: _____

10. Tienes que abrocharte éste antes de arrancar el coche: _____

11. Pones las dos manos sobre éste: _____

12. Si tienes un accidente, ésta te puede salvar la vida: _____

ACTIVIDAD 10. Coches y perros. Contesta las siguientes preguntas sobre la escena con el coche y el perro.

R O V E R 2 0 0
S E A D E L A N T A
A L O S T I E M P O S.

AHORA CON AIRE
ACONDICIONADO DE REGALO.

1. ¿Por qué crees que aparecen perros en este anuncio?

_____

2. ¿Puedes pensar en tres nombres de coches que se asocien con animales?

_____

3. Describe tu coche (o el coche que quieres tener) y el coche en la foto. ¿Cuál prefieres? ¿Por qué?

_____

Contrasting the indicative and subjunctive in adverbial clauses

ACTIVIDAD 11. Todo depende. Completa cada oración con la forma correcta del verbo indicado, en el subjuntivo, el indicativo o el infinitivo. Presta atención a los tiempos verbales.

1. Voy a casa en cuanto yo (poder) _____ terminar mi trabajo.

2. Tan pronto como yo (despertarse) _____ me levanto.

3. Voy a salir para San Luis a pesar de que (llover) _____.

4. Te lo voy a repetir hasta que tú lo (saber) _____.

5. Limpien ustedes la cocina hasta que él (llegar) _____.

6. Anoche, tan pronto como yo (llegar) _____, mi amigo salió.

7. Después de (ir) _____ al centro, voy a hablar con Gabriela por teléfono.

8. Siempre estudio cuando (hacer) _____ mal tiempo.

9. Cuando Paco (salir) _____ de casa, su madre siempre le decía adiós.

ACTIVIDAD 12. Hoy, mañana, ayer. Escribe cada oración de dos maneras, para expresar las acciones en el pasado (pretérito) y en el futuro (presente del subjuntivo). Sigue el modelo.

▶ **MODELO:** Siempre gasto mi dinero tan pronto como recibo mi cheque.
      a. Mañana voy a gastar mi dinero tan pronto como _reciba_____ mi cheque.
      b. Ayer gasté mi dinero tan pronto como _recibí_____ mi cheque.

1. Siempre preparo la comida cuando regreso a casa.

  a. Mañana voy a preparar la comida cuando _____ a casa.

  b. Ayer preparé la comida cuando _____ a casa.

2. Hoy, como siempre, Héctor va al trabajo aunque está enfermo.

  a. Mañana Héctor va a ir al trabajo aunque _____ enfermo.

  b. Ayer Héctor fue al trabajo aunque _____ enfermo.

3. Hoy, como siempre, miro la televisión hasta que llegan mis amigos.

  a. Mañana voy a mirar la televisión hasta que _____ mis amigos.

  b. Ayer miré la televisión hasta que _____ mis amigos.

4. Siempre salgo después de que mis amigos me llaman.

  a. Esta noche voy a salir después de que mis amigos me _____.

  b. Ayer salí después de que mis amigos me _____.

5. Ella siempre me llama por teléfono en cuanto vuelve a casa.

  a. Mañana ella me va a llamar por teléfono en cuanto _____ a casa.

  b. Ayer ella me llamó por teléfono en cuanto _____ a casa.

6. Roberto siempre escucha música en su computadora hasta que sus amigos se quejan del ruido.

  a. Roberto va a escuchar música hasta que sus amigos _____ del ruido.

  b. Roberto escuchaba música en su computadora hasta que sus amigos _____ del ruido.

Workbook Activities ◄ Unidad 9　**113**

Describing actions in the recent and remote past: Present and pluperfect (past perfect) indicative

ACTIVIDAD 13. Hemos visto. Lee las siguientes oraciones y cambia los verbos del presente al presente perfecto.

▶ **MODELO:** Marc Anthony **canta** por la mañana.

Marc Anthony _ha cantado_____ por la mañana.

1. **Vemos** muchas camionetas en la carretera.

_____ muchas camionetas en la carretera.

2. Los jaguares **viven** muchos años en Sudamérica.

Los jaguares _____ muchos años en Sudamérica.

3. Me **gustan** aquellos coches híbridos.

Me _____ aquellos coches híbridos.

4. Stephen King **escribe** libros famosos.

Stephen King _____ un libro famoso sobre un coche llamado Cristina.

5. Mi máquina fax **destruye** tu mensaje.

Mi máquina fax _____ tu mensaje.

6. Marc Anthony y Jennifer López **cantan** por la noche, no por la mañana.

Marc Anthony y Jennifer López _____ por la noche, no por la mañana.

7. Yo **encuentro** un juego electrónico en mi teléfono celular.

Yo _____ un juego electrónico en mi teléfono celular.

8. El coche **vuelve** al garaje automáticamente, sin conductor.

El coche _____ al garaje automáticamente, sin conductor.

9. Creo que mi compañero de cuarto **lee** mi correo electrónico.

Creo que mi compañero de cuarto _____ mi correo electrónico.

10. Mi hermanito siempre **rompe** mis videojuegos.

Mi hermanito _____ mis videojuegos.

ACTIVIDAD 14. El pluscuamperfecto. Te gusta hablar del pasado. Cambia los verbos de estas oraciones del pretérito al pluscuamperfecto.

▶ **MODELO:** Yo **hablé** mucho.

Yo _había hablado_____ mucho.

1. Ellos **leyeron** muchos libros.

Ellos _____ muchos libros.

2. Todos mis amigos **fueron** a la fiesta en limosinas.

Todos mis amigos _____ a la fiesta en limosinas.

3. El ladrón **rompió** el parabrisas del coche.

   El ladrón _____ el parabrisas del coche.

4. Nosotros **pusimos** nuevos limpiaparabrisas en nuestro coche.

   Nosotros _____ nuevos limpiaparabrisas en nuestro coche.

5. Muchas personas **murieron** en accidentes de coche.

   Muchas personas _____ en accidentes de coche.

6. Tú **viste** un robot doméstico.

   Tú _____ un robot doméstico.

7. Yo no le **escribí** un correo electrónico a mi amiga.

   Yo no le _____ un correo electrónico a mi amiga.

Lectura

ACTIVIDAD 15. El coche extravagante. Lee este mensaje que Rita dejó para Clara y contesta las preguntas que siguen.

Clara, yo nunca he visto un coche tan elegante como el coche que ha comprado mi amigo Federico (Rico) Fernández. Siempre he buscado coches que funcionen bien ¡pero este coche es fenomenal! Tiene todos los lujos que uno pueda imaginar. Claro que tiene aire acondicionado, bolsas de aire y ventanas eléctricas. Pero también hay un fax-modem, una grabadora para DVDs con una pantalla grande en el techo, cinco cámaras a bordo, una computadora con correo electrónico, cinco parlantes para una radio y tocadora (*player*) de CDs que funciona con nuestros iPods, radio satélite, minibar, microondas, refrigerador y un sistema de posicionamiento global (GPS). Además viene con un chofer humano y Rico y yo podemos viajar, mirar y escuchar todas estas máquinas maravillosas en su coche. ¿Quieres acompañarnos en un viaje a Nueva York mañana? Llámame tan pronto como sea posible. – Rita

1. ¿Qué no ha visto Rita nunca?

   _____

2. ¿Qué ha buscado Rita siempre?

   _____

3. ¿Cuáles son las tres cosas que obviamente tiene un coche elegante?

   _____

4. ¿Qué lujo mencionado aquí es el más interesante para ti? Explica.

   _____

   _____

5. ¿Quién conduce este coche?

   _____

6. ¿Qué hacen Rita y Rico mientras el coche está en la carretera?

_____

7. ¿Qué quiere Rita que haga su amiga Clara (2 cosas)?

_____

_____

Escritura

Writing Strategy: Developing a point of view

ACTIVIDAD 16. Desde mi punto de vista. Como leíste en tu libro de texto, el punto de vista del escritor es muy importante. Ahora escribe una composición sobre los coches en nuestra sociedad. Escribe desde el punto de vista de un vendedor de coches, un estudiante universitario o un activista del medio ambiente. Organiza tus ideas y escribe la composición desde el punto de vista que hayas escogido.

UNIDAD 10

Tradiciones y artes

PRIMER PASO

Learning about holidays and traditions

ACTIVIDAD 1. Una fiesta especial. Estás planeando tu propia fiesta de cumpleaños. Completa las siguientes oraciones con las palabras y las formas correctas de los verbos de la lista.

fiesta	disfraz	participen	concierto	fuegos artificiales
celebremos	máscara	cuento	folclórica	desfile

Para que nosotros (1) _____ mi cumpleaños de una manera

especial, voy a dar una (2) _____ magnífica. Cada persona va a llevar

un (3) _____ con una (4) _____

en la cara. Quiero que todos (5) _____ y que lleguen con un

(6) _____ para contarle al grupo.

Todos van a caminar en un (7) _____ para mostrarnos

su ropa especial. Además vamos a tener un (8) _____ de música

(9) _____ de muchos países para que todos canten y bailen. Al final

vamos a tener muchos (10) _____ para alumbrar (*to light up*) el cielo

y para que todos salgan impresionados y contentos.

ACTIVIDAD 2. Tus fiestas. Pon la letra de la costumbre de la columna B al lado del día festivo de la columna A con que la asocies.

A

1. _____ Año Nuevo

2. _____ Día del Trabajo

3. _____ Día de las Brujas

4. _____ Día de los Muertos

5. _____ Cumpleaños

6. _____ Día de San Valentín

7. _____ Navidad

B

a. disfraces

b. chocolates y rosas rojas

c. champán a medianoche

d. helado y regalos

e. regalos para toda la familia

f. no trabajar

g. calaveras de azúcar

ACTIVIDAD 3. Las fiestas. En este repaso de estructuras, completa cada oración con la forma correcta del presente del subjuntivo, indicativo o infinitivo, según el contexto de la oración.

1. Es importante (participar) _____ en las fiestas.

2. Queremos que todos (ir) _____ a la ceremonia especial.

3. Estoy buscando una máscara que (ser) _____ folclórica.

4. No dudo que esta fiesta me (ir) _____ a costar mucho dinero.

5. Vamos a comenzar la celebración en cuanto ellos (llegar) _____.

6. Dudo que la fiesta (comenzar) _____ sin mis amigos panameños.

7. Mi abuelo me aconseja que (invitar) _____ a nuestros amigos salvadoreños.

8. Mi madre se alegra de que yo (planear) _____ esta fiesta.

9. Es verdad que (haber) _____ mucha preparación.

10. Espero que todos (divertirse) _____.

Indicating subjective feelings, emotions, and attitudes in the past: Imperfect subjunctive

ACTIVIDAD 4. Selecciones. Completa las oraciones, seleccionando el imperfecto del subjuntivo de los verbos indicados.

1. No quería que tú _____ la puerta.

   a. abras   **b.** abres   **c.** abrieras

2. No había nadie que _____ contento en la fiesta de Marta.

   a. está   **b.** estuviera   **c.** estuvo

3. Buscábamos una persona que _____ del español al chino.

   a. tradujera   **b.** tradujo   **c.** traduce

4. Era importante que ellos no _____ en el concierto.

   a. se duermen   **b.** se durmieran   **c.** se durmieron

5. Fue una lástima que tú no _____ bien anoche.

   a. te sientas   **b.** te sentiste   **c.** te sintieras

6. Me alegré de que ellos _____ asistir a mi fiesta.

   a. pudieran   **b.** puedan   **c.** pudieron

7. Fue magnífico que _____ fiestas elegantes en nuestra universidad.

   a. haya   **b.** hubo   **c.** hubiera

8. Dudaba que ella _____ tan importante.

   a. fuera   **b.** sea   **c.** era

9. Llegamos a casa antes de que mis abuelos _____ que regresar a Venezuela.

   a. tenían   **b.** tuvieron   **c.** tuvieran

ACTIVIDAD 5. El pasado. Estás pensando en todo lo que hiciste este año y quieres expresar tus ideas en el pasado. Completa las siguientes oraciones con las formas correctas del verbo indicado, en el imperfecto del subjuntivo.

1. Dudé que mi novio (recordar) _____ mi cumpleaños.

2. Fue una lástima que mi amiga Gertrudis (morir) _____ de cáncer.

3. No me gustó que Guillermo (irse) _____ para Chichicastenango.

4. Me alegré de que mi madre (poner) _____ tanto dinero en mi

   cuenta bancaria.

5. Les dije que (leer) _____ el poema "Lo fatal" de Rubén Darío.

6. Prefería que ellos (servir) _____ tortillas y plátanos en el restaurante.

7. Les pedí que me (dar) _____ sus libros usados.

8. Insistí en que nosotros (ver) _____ la película más reciente de Guillermo

   del Toro.

9. No creí que mis amigos (volver) _____ de su viaje a Tegucigalpa.

10. Fue imposible que ellos (hacer) _____ todo lo que les pedí.

Linking actions: Subjunctive with adverbial clauses

ACTIVIDAD 6. Conjunciones. Para distinguir mejor entre las varias expresiones que acabas de aprender, selecciona la mejor equivalencia para cada palabra en español.

1. *in order that*:   a menos que   con tal de que   sin que   a fin de que

2. *so that*:   antes de que   para que   en caso de que   a menos que

3. *unless*:   con tal de que   antes de que   a menos que   como si

4. *in case*:   en caso de que   con tal de que   a menos que   antes de que

5. *before*:   como si   antes de que   sin que   para que

6. *provided that*:   sin que   a fin de que   con tal de que   en caso de que

7. *without*:   antes de que   sin que   para que   con tal de que

8. *as if*:   a fin de que   como si   sin que   para que

ACTIVIDAD 7. Subjuntivo y adverbios. Completa cada oración con la forma correcta de la palabra. Escoge entre el subjuntivo (presente o imperfecto) y el infinitivo.

1. Antes de que tú (irte) _____ para la fiesta debes estudiar.

2. Estudiamos ahora a fin de que nosotros (conseguir) _____ un trabajo en el futuro.

3. Ella salió de casa sin que sus padres lo (saber) _____.

4. Flora, antes de (salir) _____ para El Salvador, limpia tu casa.

5. Voy a ir a la fiesta a menos que nosotros (tener) _____ un examen mañana.

6. Trabajó mucho para que ellos (poder) _____ comprar una casa.

7. Ellos navegan por Internet para (buscar) _____ información.

8. Te voy a esperar con tal de que tú (llegar) _____ con el dinero.

9. En caso de que ella (enfermarse) _____, llámame.

10. Ellos hablan sin (pensar) _____.

11. Ella hablaba como si (ser) _____ la presidente del país.

Cultura

ACTIVIDAD 8. El Carnaval en Panamá. Lee el texto y contesta las preguntas con oraciones completas.

Una fiesta muy especial que se celebra en muchas partes del mundo, sobre todo en Latinoamérica, la América Central, México, Alemania, España y Portugal se llama el Carnaval. Tiene lugar unos días antes del comienzo de la Cuaresma (*Lent*), normalmente en los meses de febrero o marzo. En Panamá la celebración dura normalmente cuatro días y cuatro noches, con muchos desfiles, bailes, máscaras y disfraces. El carnaval más conocido en Panamá se llama el Carnaval de las Tablas. Como en esta época hace bastante calor allí, la gente baila en las calles con ropa de verano. Algunas mujeres también suelen llevar un vestido tradicional llamado "la pollera". Siempre hay una reina del carnaval y muchas celebraciones, sobre todo el último día, que es el día antes del Miércoles de Ceniza, un día solemne que señala el comienzo de la Cuaresma, cuarenta días de ayuno y penitencia en el calendario cristiano tradicional.

1. ¿Dónde se celebra el Carnaval?

_____

2. ¿Cuándo ocurre el Carnaval?

_____

3. ¿Cómo se llama el Carnaval más conocido en Panamá?

_____

4. ¿Cuántos días y noches dura el Carnaval en Panamá?

_____

5. ¿Cómo se llama el vestido especial que llevan las mujeres en Panamá?

_____

6. ¿Qué es el Miércoles de Ceniza?

_____

SEGUNDO PASO

Talking about art and artists

ACTIVIDAD 9. Vocabulario. Escribe una palabra apropiada de la lista al lado de cada descripción.

cuadro   bosquejo   pincel   bronce   dibujar
retrato   abstracto   barro   marco   mármol

1. Un estilo de arte: _____

2. La cosa que está alrededor de una pintura: _____

3. Lo que usa un pintor para pintar: _____

4. El tema de esta clase de pintura es una persona: _____

5. Primero, antes de pintar, el artista crea uno de estos: _____

6. Material para las estatuas hechas de metal: _____

7. Material para esculturas y artesanía antigua: _____

8. Otra palabra para **pintura** es: _____

9. Un material natural para estatuas y escaleras se llama: _____

10. El acto de hacer dibujos se llama: _____

ACTIVIDAD 10. Un cuadro de Salvador Dalí. ¿Qué ves en esta pintura? ¿Qué significa para ti? Describe el cuadro, mencionando por lo menos cinco objetos. ¿Te gusta la pintura? ¿Por qué? Escribe oraciones completas. (Mínimo: 25 palabras)

_____

_____

_____

_____

_____

_____

_____

_____

_____

_____

_____

_____

_____

Discussing crafts and folk art

ACTIVIDAD 11. Alebrijes. Mira el dibujo (*sketch*) y escribe una breve leyenda sobre el animal. ¡Usa tu imaginación! (Mínimo: 3 oraciones)

_____

_____

_____

_____

_____

_____

Using relative pronouns

ACTIVIDAD 12. Que / quien. Completa las oraciones con los pronombres apropiados de la lista.

lo que	con quien	quienes	la que	las que
quien	los que	con quienes	a quien	a quienes

1. _____ pienso es que debemos estudiar más esta noche.

2. Ella es la profesora _____ estudiamos la historia española.

3. Mi esposo es el hombre _____ más adoro.

4. Ellos son los estudiantes _____ estudiamos en la biblioteca.

5. Mi hermana Juanita es _____ pintó el cuadro sobre el zoológico.

ACTIVIDAD 13. Alebrijes y jaguares. Completa las oraciones con los pronombres apropiados de la lista.

quien   quienes   lo que   que   los que

Alejandro González-Hernández, (1) _____ es artesano de Oaxaca, acaba de crear unos

alebrijes con (2) _____ estoy completamente encantada. Sus jaguares, perros, gatos,

lagartos y leones son mis favoritos, pero (3) _____ más me encanta de su artesanía es la

atención personal que le da a cada animal. Él y su hermano, (4) _____ han trabajado

desde muy pequeños, son dos personas con (5) _____ puedo hablar sobre su arte.

Ayer compré dos jaguares (6) _____ me gustaban mucho y (7) _____

voy a hacer es dárselos a mis hijos. Creo que van a divertirse mucho con estos regalos y eso me pone

muy contenta.

Lectura

ACTIVIDAD 14. Diego y Frida. Lee el siguiente párrafo y completa las oraciones, seleccionando la respuesta correcta.

Diego Rivera (1886–1957) fue un famoso muralista mexicano, nacido en Guanajuato. Estudió en Europa entre 1907 y 1921 y al volver a México, se concentró en pintar murales sobre la historia y los problemas sociales de su país nativo. En 1929 Diego se casó con Frida Kahlo (1907–1954), otra famosa artista mexicana. Ella nació en Coyoacán, cerca de la Ciudad de México. En 1925 sufrió un terrible accidente de autobús y en su convalescencia aprendió a pintar. Frida es famosa por sus numerosos autorretratos sobre el sufrimiento y el dolor. Después de su accidente nunca pudo tener hijos.

1. Diego Rivera fue _____.

   a. científico   **b.** muralista   **c.** carpintero

2. Diego Rivera nació en _____.

   a. Coyoacán   **b.** México, D.F.   **c.** Guanajuato

3. Diego Rivera pintó murales sobre los problemas _____.

   a. sociales   **b.** socialistas   **c.** personales

4. Frida Kahlo fue la _____ de Diego Rivera.

   a. hija   **b.** esposa   **c.** madre

5. Frida tuvo un accidente de _____.

   a. coche   **b.** avión   **c.** autobús

6. En las pinturas de Frida vemos que ella _____ mucho.

   a. se rió   **b.** sufrió   **c.** viajó

ACTIVIDAD 15. Dos obras de arte. Mira la foto de la obra de Frida Kahlo y en el espacio a la derecha crea tu propia obra de arte o pon una foto de una obra de arte que te parezca interesante. Escribe un breve ensayo sobre estas obras y lo que representan para ti. (Mínimo: 25 palabras)

_____

_____

_____

_____

_____

_____

_____

_____

_____

_____

Escritura

Writing Strategy: Summarizing

ACTIVIDAD 16. Resúmenes breves. Lee la estrategia en la página 367 de tu libro de texto. Luego escribe un resumen de cada uno de los dos pasajes siguientes.

1. **Resumen de una narración de otra persona.** Lee la selección en la página 374 sobre Rigoberta Menchú de esta Unidad de tu libro de texto y escribe un resumen.

   Mi resumen:

   _____

   _____

   _____

   _____

   _____

   _____

   _____

   _____

   _____

2. **Resumen de una leyenda.** Lee la leyenda de Rumiaya, en el artículo "Soy Rumiaya, el alma de la roca" en la página 267 en la Unidad 7 de tu libro de texto y escribe un resumen de la leyenda.

   Mi resumen:

   _____

   _____

   _____

   _____

   _____

   _____

   _____

   _____

   _____

UNIDAD 11

Temas de la sociedad

PRIMER PASO

Talking about contemporary society

ACTIVIDAD 1. Problemas de la sociedad. Escribe un verbo de la lista al lado de cada palabra relacionada con él.

asesinar   encarcelar   robar   lograr   solucionar   fracasar

1. solución _____
2. logro _____
3. cárcel _____

4. asesino _____
5. robo _____
6. fracaso _____

Reacting to societal issues

ACTIVIDAD 2. Buscando soluciones. Completa el siguiente texto con palabras apropiadas de la lista.

cárcel	matar	educativos	robos	mínimo
SIDA	drogadicción	crímenes	soluciones	policía
sociales	asesinatos	pobreza	robar	

Hay muchos problemas y crímenes en nuestra sociedad: (1) _____,

(2) _____, (3) _____,

(4) _____ y (5) _____.

Pero también hay muchas (6) _____ y muchos

(7) _____. Si la (8) _____ no es suficiente

para controlar los (9) _____, hay ayuda de psiquiatras o tiempo

en la (10) _____ si el crimen es muy serio. Con los programas

(11) _____ la gente puede aprender algo para poder empezar a trabajar

por un sueldo (12) _____ en lugar de (13) _____

bancos o (14) _____ con pistolas a la gente rica para obtener su dinero.

La realidad es muy complicada, pero ojalá que sepan que hay esperanza en nuestra sociedad.

ACTIVIDAD 3. Preguntas. Tú eres un/a político/a importante de los Estados Unidos en Guatemala y la gente te hace muchas preguntas sobre tu país. Contesta las siguientes preguntas brevemente.

1. Menciona algunos problemas que ha tenido la sociedad estadounidense recientemente.

    _____

    _____

2. En relación al futuro de los Estados Unidos, ¿es usted optimista o pesimista? Explique.

    _____

    _____

Using the future tense and future of probability

ACTIVIDAD 4. Un buen futuro. Tu amiga Marisol siempre ve el futuro desde un punto de vista optimista. Completa las oraciones con la forma correcta del verbo en el futuro.

1. En el futuro (haber) _____ una cura para el SIDA.

2. Mañana los científicos (resolver) _____ muchos de nuestros problemas.

3. Esta noche mis amigos (venir) _____ a visitarme.

4. Mañana (ser) _____ un día mejor.

5. Yo (tener) _____ mucho dinero en enero.

6. Ellos (querer) _____ tener éxito en sus carreras.

7. Después de graduarme yo (poder) _____ encontrar un trabajo que

    pague bien.

8. Nosotros te lo (decir) _____ todo mañana.

9. Yo (salir) _____ de la fiesta con muchos nuevos amigos.

10. Tú (saber) _____ triunfar en la vida después de graduarte.

ACTIVIDAD 5. El profesor dirá. Tienes un profesor muy estricto que siempre habla de la importancia de estudiar mucho. Aquí hay unas oraciones típicas de él. Complétalas con la forma correcta del verbo en el futuro.

1. Usted (hacer) _____ mucha tarea para sus clases.

2. Yo (hablar) _____ con ustedes después de la clase.

3. Mañana (haber) _____ un examen.

4. Todos (estar) _____ en la biblioteca a las ocho de la mañana.

5. Ustedes me (decir) _____ la verdad.

6. Nosotros (sentirse) _____ bien después del examen.

7. Ustedes (querer) _____ estudiar mucho esta noche.

8. Tú (saber) _____ mucho después de este curso.

ACTIVIDAD 6. Del presente al futuro. Escribe las siguientes oraciones cambiando el verbo indicado del presente al futuro.

1. Yo **huyo** del asesino. _____

2. Ellos **se mueren** de hambre. _____

3. Ella **oye** el teléfono. _____

4. Tú **eres** mi mejor amiga. _____

5. Yo **pongo** el dinero en el banco. _____

6. El ladrón **roba** mi dinero. _____

7. Miguel **lee** muchos libros. _____

8. Nosotros **trabajamos** día y noche. _____

9. Ella **cierra** la puerta. _____

10. Yo **sé** quién **es.** _____

11. Usted no lo **cree.** _____

12. **Hay** muchos estudiantes en la fiesta. _____

13. Tú **te vas** para Acapulco mañana. _____

ACTIVIDAD 7. Horóscopos. Lee la página de horóscopos y escribe diez verbos que están en el futuro. Después escribe tu propio "horóscopo" en la página siguiente, imaginando lo que tú crees que te pasará en el futuro. Sé creativo/a.

Verbos:

_____

_____

Horóscopo:

_____

_____

_____

_____

_____

_____

_____

_____

POR LEONOR ANDRASSY ● del 17 al 30 de junio

aries
marzo 21 a abril 19

Es un período de cambios importantes y muy favorables en el terreno profesional. Sus nervios estarán a flor de piel debido a ciertas situaciones que surgen como consecuencia de los cambios. Dentro de lo posible, contrólese, para que esto no altere la paz familiar. La Luna estará en su signo el 27. Aunque se sienta sugestiva y atrayente, no subestime el poder de una posible rival...

tauro
abril 20 a mayo 20

Tauro se encontrará en una situación difícil, por lo que será necesario tomar una decisión importante y en poco tiempo. Aunque su intuición nunca le ha fallado, para su tranquilidad, sería conveniente que se asesorara con personas expertas. Explórelo todo, pero no se conforme con poco; exija lo mejor. Para alguna, un nuevo amor significará dejar atrás el pasado y comenzar una vida diferente.

géminis
mayo 21 a junio 21

Habrá cambios en los planes de Géminis. Esto se presentará por sorpresa y, aunque al principio represente una contrariedad para este signo, pronto se dará cuenta de que era necesario para su progreso profesional. El sentimiento de los celos es algo que deberá borrar de su mente si quiere ser feliz con su pareja. Controle sus impulsos y, antes de hablar, medite muy bien lo que va a decir.

cáncer
junio 22 a julio 22

Cuando Cáncer se propone una cosa, la consigue al precio que sea. Esta es su mayor virtud, aunque a veces, como en esta ocasión, pueda equivocarse. En estos momentos no es aconsejable hacer cambios en el campo profesional. Deje esa tenacidad para más adelante. Con Venus en su signo es casi imposible que Cáncer esté sin amor. Si todavía no ha llegado, está muy cerca...

leo
julio 23 a agosto 22

En los meses pasados ha habido de todo en la vida de este signo, pero ahora, justamente a la mitad del año, comienza una nueva era. Sea inteligente y cautelosa, ya que de su forma de actuar dependerá en gran parte el bienestar del próximo año. Si ha aprovechado las lecciones de Saturno en el signo de fuego ariano, que influye sobre Leo, estará preparada para ser feliz.

virgo
agosto 23 a septiembre 21

Se sentirá algo desalentada debido a la influencia de Mercurio, retrógrado. No piense que no podrá vencer esa situación. La voluntad de este signo es muy fuerte y siempre logra lo que se propone. Habrá un cambio favorable en el terreno profesional. Los tiempos pasados no siempre fueron mejores. Deje a un lado los fantasmas del ayer y disfrute el presente sin mirar hacia atrás.

libra
septiembre 22 a octubre 22

Ante Libra se abren distintas posibilidades, todas muy especiales. Dependiendo de cómo las maneje, logrará que tengan éxito o que fracasen. Sea cautelosa a la hora de emitir un juicio. Tendrá la oportunidad de hacer un viaje que podría traerle cambios. En el transcurso del mismo, alguna encontrará al verdadero amor; en otros casos, servirá para unir todavía más a la pareja.

escorpión
octubre 23 a noviembre 21

En el transcurso de este período sentirá cómo el planeta Marte la energiza, fortaleciendo su voluntad. Es el momento de hacer realidad todos sus sueños. Ese proyecto que todavía no ha visto la luz, porque no se había sentido motivada para ponerlo en marcha, comenzará a tomar forma. En el romance todo le sonríe: usted ama intensamente y él le corresponde en igual forma.

sagitario
noviembre 22 a diciembre 21

El período comienza con la Luna en su signo y un sextil de Marte. Aunque en general la época es positiva, deberá tener cuidado con lo que dice, para no lastimar a los que más ama. Es una época de movimientos económicos. Aunque no serán hechos por usted, la afectarán de una forma muy favorable. Controle un poco sus sentimientos, pues con tanto amor podría ahogarlo y quizás perderlo...

capricornio
diciembre 22 a enero 19

En este período, Capricornio estará cargado de gran magnetismo, con corrientes muy positivas; sin embargo, su pesimismo podría cambiar todo este panorama, opacando las buenas influencias astrales. No lastime a su pareja con inquietudes innecesarias y disfrute plenamente lo que la vida le regala cada día. Alguna tendrá la agradable sorpresa de poder ser mamá pronto.

acuario
enero 20 a febrero 19

La Luna en Acuario el 22. Las influencias lunares la volverán vulnerable en el amor. ¡Cuidado! podrían lastimarla. Estos serán días de grandes sorpresas. Llegará una persona del extranjero con noticias importantes y le hará una proposición interesante que no debería desaprovechar. Estúdiela detenidamente. No hay excusa para que abandone sus proyectos. Llévelos hasta el final.

piscis
febrero 20 a marzo 20

Se aproximan momentos muy importantes en su vida profesional; podría ser un ascenso, una promoción o un cambio muy favorable. La Luna, que casi siempre afecta la vida sentimental, estará en Piscis el 22. Alguna estará en medio de un proceso de separación, con posibilidades de llegar a una reconciliación. Cuando hay verdadero amor, todo se puede solucionar, como en su caso.

Cultura

ACTIVIDAD 8. Una película interesante. Tu amiga Cándida acaba de comprar un DVD llamado *Butterfly*, que es el título norteamericano de una película de España llamada en español *La lengua de las mariposas*. Lee lo que escribió Cándida para el periódico latino de su escuela y contesta las preguntas.

Una película contemporánea (1999) dirigida por el español José Luis Cuerda, es sobre un niño, Moncho, y lo que aprende de la vida y sobre don Gregorio, su maestro en la escuela primaria. Don Gregorio tiene mucha paciencia con Moncho, quien es asmático. El niño tiene mucho miedo de la escuela y de los otros niños. Don Gregorio le enseña a Moncho a apreciar la belleza de las mariposas, aunque Moncho prefiere los insectos de la tierra que no pueden volar. La realidad de los días antes de la Guerra Civil Española (1936–1939) está también reflejada en esta película cuyo final trágico muestra al nivel psicológico una de las muchas crueldades de esta guerra. La película está basada en un libro de cuentos escrito por Manuel Rivas llamado *¿Qué me quieres amor?* La película ha tenido mucho éxito y ha recibido reseñas positivas.

–Cándida Aznar

Selecciona las respuestas correctas.

1. ¿Quién es el director de la película?

   a. Don Gregorio   **b.** Manuel Rivas   **c.** José Luis Cuerda

2. ¿Quién es el autor del libro sobre el cual está basada la película?

   a. Gabriel García Márquez   **b.** José Luis Cuerda   **c.** Manuel Rivas

3. ¿Cuándo salió la película a la pantalla grande?

   a. en 1936   **b.** en 1999   **c.** en 1939

4. ¿Cuándo tiene lugar la acción de la película?

   a. en los años 30   **b.** en los años 40   **c.** en los años 50

5. ¿Qué tipo de reseñas ha recibido esta película?

   a. negativas   **b.** positivas   **c.** indiferentes

Ahora contesta las preguntas con oraciones completas.

6. ¿Cómo se llaman los dos personajes principales?

   _____

7. ¿De qué tiene miedo Moncho?

   _____

8. ¿Qué aprende el niño de su maestro?

   _____

9. ¿En qué consiste la tragedia del final de esta película?

   _____

   _____

10. En la foto, ¿qué crees que tiene el hombre en la mano y qué estará haciendo? ¿Qué dirá el niño?

   _____

ACTIVIDAD 9. Una película reciente. Tu amiga Cándida acaba de escribirte sobre otra película que acaba de ver. Lee lo que escribió y contesta las preguntas.

Querido/a amigo/a,

Acabo de ver una película extraordinaria llamada *El laberinto del fauno* o *Pan's Labyrinth*. El director es Guillermo del Toro, un artista mexicano muy famoso. Él hizo esta película en España y es sobre una familia militar durante la época después de la Guerra Civil Española. La fecha es 1944 y esta guerra terminó oficialmente en 1939. La protagonista, Ofelia, es una niña de unos doce años de edad y acompaña a su padrastro y a su madre encinta al campo. Allí su padrastro, el Capitán Vidal, caza cruelmente a los anarquistas, los enemigos del gobierno de Francisco Franco, como si fueran animales.

La realidad de esta vida es tan triste y violenta que Ofelia se escapa a un mundo imaginario, creado por sus muy queridos libros, donde un fauno (*faun*) que vive en un laberinto le da unas tareas especiales que tiene que cumplir para recibir el título de "princesa".

La película ha recibido reseñas muy positivas y muchos premios. Tiene efectos especiales espectaculares. Esta película y *La lengua de las mariposas* son mis películas favoritas porque muestran el efecto horrible que una Guerra Civil tiene en las vidas de los niños inocentes.

Sinceramente,
Cándida

1. ¿Cómo se llama la película?

_____

2. ¿Quién es el director?

_____

3. ¿Cuándo ocurre la acción de la película?

_____

4. ¿Cuál es el problema de Ofelia?

_____

5. ¿Qué hace el Capitán Vidal?

_____

_____

6. ¿Qué hace Ofelia para escaparse de la realidad?

_____

7. ¿Qué tienen en común *La lengua de las mariposas* y *El laberinto del fauno?*

_____

_____

SEGUNDO PASO

Discussing environmental issues

ACTIVIDAD 10. Animales en peligro. Lee el anuncio del *World Wildlife Fund* y contesta las preguntas con oraciones completas.

Este año habrá...
más víctimas de Tráfico

Cada año se venden más de 50.000 primates vivos, 4 millones de aves exóticas, 15 millones de pieles de felinos y 350 millones de peces tropicales. El tráfico de especies es una actividad criminal y mafiosa y constituye el mayor negocio ilegal después del comercio de armas y drogas. En WWF/Adena llevamos más de 10 años trabajando contra este tráfico.

WWF/Adena
CAMPAÑA
por un PLANETA VIVO

A pesar de ello, cada hora desaparecen 3 especies y más de 5.000 están al borde de la extinción debido a la caza furtiva, una de sus principales causas.

Si quieres evitar que este año haya más víctimas de Tráfico: **Hazte socio de WWF/Adena.**

1. ¿Cuántos primates vivos, aves exóticas y peces tropicales se venden cada año?

   _____

   _____

2. ¿Cuántas pieles de felinos se venden cada año?

   _____

3. ¿Cuál es una de las actividades criminales que menciona el anuncio?

   _____

4. ¿Cuál es más extenso, el comercio de armas y drogas o el negocio de animales?

   _____

5. ¿Qué se puede hacer para evitar que haya más víctimas?

   _____

Expressing emotions and doubt in the past: Present and pluperfect (past perfect) subjunctive

ACTIVIDAD 11. Espero que lo hayan visto. Completa cada oración con la forma correcta del verbo, en el presente perfecto del subjuntivo.

▶ **MODELO:** No creo que ellos (llegar) _hayan llegado._____

1. Dudo que Mercedes (saber) _____ por qué hay tantos animales en su jardín.

2. Es una lástima que ellos (romper) _____ todas las flores.

3. Ojalá que ella (poder) _____ encontrar flores más fuertes.

4. Tengo miedo de que los animales (empezar) _____ a comerse las flores nuevas.

5. Es interesante que ella nunca (abrir) _____ la puerta del jardín.

6. Es posible que ella no (cubrir) _____ las flores.

ACTIVIDAD 12. El pasado del subjuntivo. Cambia los verbos de las siguientes oraciones del imperfecto del subjuntivo al pluscuamperfecto del subjuntivo.

▶ **MODELO:** Dudaba que <u>estuvieran</u> en mi casa.

   Dudaba que _hubieran estado_____ en mi casa.

1. Me alegré de que <u>tuviéramos</u> muchas fiestas.

   Me alegré de que _____ muchas fiestas.

2. Era importante que ellos <u>pudieran</u> actuar en el espectáculo.

   Era importante que ellos _____ actuar en el espectáculo.

3. Dudaba que mi abuela <u>condujera</u> bien.

   Dudaba que mi abuela _____ bien.

4. Fue una lástima que <u>lloviera</u> tanto.

   Fue una lástima que _____ tanto.

Using the conditional tense and conditional of probability

ACTIVIDAD 13. Lo que harían. Tu amiga Nora tiene mucha imaginación y le gusta predecir (*predict*) lo que harían varias personas. Completa las siguientes oraciones poniendo el verbo en el condicional.

1. Yo (ir) _____ a México.

2. Nosotras (pasar) _____ el tiempo mirando telenovelas.

3. Tú (poder) _____ venir a visitar todos los días.

4. Ellos se (escribir) _____ muchas cartas por correo electrónico.

5. Ella (salir) _____ con su novio todas las noches.

6. Él no (tener) _____ miedo de divertirse mucho.

7. Yo (leer) _____ un libro sobre el efecto invernadero.

8. A mí me (gustar) _____ dormir hasta mediodía.

ACTIVIDAD 14. El pasado y el condicional. Cambia las oraciones siguiendo el modelo. Pon el primer verbo en el pretérito y el segundo en el condicional.

> ► MODELO: **Creo** que pronto **habrá** alguien a la puerta.
>
> *Creí* _____ que pronto *habría* _____ alguien a la puerta.

1. No **dudo** que lo **sabrás** todo.

   No _____ que lo _____ todo.

2. Ellos **dicen** que **hará** mucho frío hoy.

   Ellos _____ que _____ mucho frío hoy.

3. Ella me **cuenta** que **saldrá** con un actor famoso.

   Ella me _____ que _____ con un actor famoso.

4. Yo **pienso** que ustedes **querrán** ver la última película de Almodóvar.

   Yo _____ que ustedes _____ ver la última película de Almodóvar.

ACTIVIDAD 15. Probabilidades. Tu amigo Mario nunca está completamente seguro sobre lo que ha pasado y quiere expresar sus dudas. Completa cada oración en español, según la versión en inglés, y pon los verbos en el condicional.

1. ¿Qué hora _____ cuando llegaron?

   I wonder what time it was when they arrived.

2. _____ las cuatro de la mañana.

   It was probably about four in the morning.

3. ¿Adónde _____ tú sin coche?

   I wonder where you would go without a car.

4. _____ carne y no pescado.

   They would probably eat meat and not fish.

Lectura

ACTIVIDAD 16. Una verdad inconveniente. Lee el texto y contesta las preguntas.

En 2006 salieron un libro y una película del ex- vice-presidente de los Estados Unidos, Al Gore. El título de ambas obras es *Una verdad inconveniente* (*An Inconvenient Truth*). El tema es sobre los efectos alarmantes y destructivos de nuestro uso excesivo de los recursos naturales de nuestro planeta. El libro tiene fotos y la película tiene imágenes que demuestran cómo ha cambiado el planeta recientemente. El autor usa el huracán Katrina como un ejemplo de las fuertes tormentas causadas por el efecto invernadero. El ex- vice-presidente Gore nos pide que tomemos nuestra responsabilidad ecológica en serio y nos da sugerencias sobre lo que podemos hacer para garantizar un futuro para todos los seres vivos de nuestro planeta.

1. ¿Qué es la "verdad inconveniente"?

    _____

    _____

2. ¿Quién es Al Gore?

    _____

    _____

3. ¿Qué está causando efectos alarmantes y destructivos?

    _____

    _____

4. ¿Cómo sabemos que el planeta está cambiando?

    _____

    _____

5. ¿Qué ejemplifica el huracán Katrina?

    _____

    _____

6. ¿Qué nos pide Al Gore que hagamos?

    _____

    _____

7. ¿Por qué tenemos que prestar atención a los problemas discutidos en este libro y su película?

    _____

    _____

Escritura

Writing Strategy: Narrowing a topic

ACTIVIDAD 17. Temas de nuestra sociedad. Lee la descripción de esta estrategia en la página 401 de tu libro de texto. Practica esta estrategia con los tres temas siguientes, saliendo de ideas generales hasta ideas específicas. Después escoge un tema de tus ideas específicas y escribe un ensayo.

A. Los jóvenes en la sociedad

_____

_____

_____

B. Las películas

_____

_____

_____

C. El medio ambiente

_____

_____

_____

Ensayo:

_____

_____

_____

_____

_____

_____

_____

_____

_____

_____

_____

UNIDAD 12

PRIMER PASO

Comparing the Aztecs, Mayas, and Incas

ACTIVIDAD 1. Listas. Tu amigo acaba de hacer una lista de algunas cosas, monumentos, lugares y características asociadas con los aztecas, mayas e incas según las lecturas en tu libro de texto, en la Unidad 12. Reorganiza esta lista poniendo las palabras en el grupo más apropiado. Algunas pueden estar en más de una lista.

astronomía	templos	Moctezuma	matemáticas
ciudades de piedra	Xibalbá	Quechua	Nahuas
Cuzco	Atahualpa	Teotihuacán	red de caminos
Hernán Cortés	códices	Chichén Itzá	Túpac Amaru
México	escritura jeroglífica	conquista española	
pirámides	Machu Picchu	Francisco Pizarro	

1. aztecas:

_____

_____

_____

_____

2. mayas:

_____

_____

_____

3. incas:

_____

_____

_____

_____

Using *si* clauses in the present

ACTIVIDAD 2. Condiciones. Completa las siguientes oraciones escribiendo un mandato o la forma apropiada del verbo en el futuro o el presente del indicativo.

1. Si nosotros (comer) _____ ahora, (poder) _____

   ir al cine después.

2. Si tú (poner) _____ tu dinero en el banco hoy no lo

   (gastar) _____ mañana.

3. Si tú (poder), _____ por favor, (ir) _____ a la

   biblioteca para buscarme un libro sobre los aztecas.

4. Si yo (tener) _____ hambre, siempre (comer) _____

   burritos y enchiladas.

5. El año que viene ellos (recibir) _____ mucho dinero de la compañía si

   (trabajar) _____ mucho este año.

Expressing hypothetical actions: *Si* clauses

ACTIVIDAD 3. Situaciones hipotéticas. A tu amigo Gerardo le gusta imaginar situaciones que existirían si las cosas hubieran pasado de otra manera. Cambia las siguientes oraciones al pasado, según el modelo.

> ► MODELO: Si tú sales, yo salgo también.
> *Si tú salieras, yo saldría también.*

1. Si tengo tiempo, como. _____

2. Si voy al cine, me divierto. _____

3. Si ella estudia, recibe buenas notas. _____

4. Si ellos miran muchas telenovelas, pierden amigos. _____

5. Si hay dinero en su casa, Enrique lo gasta. _____

6. Si ella quiere ir a Cancún, va. _____

7. Si yo tengo el tiempo libre, salgo con ellos. _____

ACTIVIDAD 4. Preguntas personales. Contesta las preguntas brevemente, usando **si** + *subjuntivo* + *condicional.*

1. Si pudieras ser azteca en el año 1525, ¿qué harías?

_____

_____

2. Si pudieras ser maya en el año 800, ¿cómo sería tu vida?

_____

_____

3. Si pudieras ser inca en el año 1300, ¿qué no tendrías?

_____

_____

Cultura

ACTIVIDAD 5. Los aztecas, los mayas y los incas. Lee la siguiente selección y contesta cada pregunta poniendo **V** si es **verdadera** y **F** si es **falsa.**

Los aztecas vivían en el valle central de México. Construyeron grandes templos y su capital era Teotihuacán. En el siglo XVI Hernán Cortés venció a Moctezuma, el emperador azteca, y fundó la Ciudad de México sobre las ruinas de Tenochtitlán.

Los mayas construyeron grandes ciudades, templos y pirámides. Vivían en Centroamérica y en parte de lo que se conoce hoy como el Yucatán y Mérida, en México. Usaron una escritura jeroglífica y conocían bien la astronomía y las matemáticas.

Los incas vivían en el sur y construyeron grandes ciudades de piedra. La ciudad de Cuzco en el Perú es la antigua capital del imperio. Machu Picchu es otra ciudad del imperio, descubierta relativamente recientemente. En el siglo XVI Francisco Pizarro conquistó a los incas.

1. _____ Los mayas fueron vencidos por Hernán Cortés.

2. _____ Los incas usaron jeroglíficos.

3. _____ Los mayas vivían en Centroamérica.

4. _____ Machu Picchu fue una ciudad del imperio azteca.

5. _____ Francisco Pizarro descubrió la ciudad de Machu Picchu.

6. _____ Los mayas sabían mucho sobre la astronomía.

7. _____ La Ciudad de México fue fundada sobre las ruinas de Machu Picchu.

8. _____ La capital del imperio azteca fue Tenochtitlán.

SEGUNDO PASO

Discussing Hispanic contributions in the United States

ACTIVIDAD 6. Gloria Estefan. Tu amiga escucha la música de esta cantante día y noche. Para saber más de ella lee el siguiente párrafo y contesta las preguntas.

Gloria María Milagrosa Fajardo nació el primero de septiembre de 1957 en La Habana, Cuba, y llegó a los Estados Unidos antes de cumplir dos años de edad. Vivió por muchos años en Miami y se graduó de la Universidad de Miami con una especialidad en psicología. Gloria ha cantado y ha tocado la guitarra desde niña, pero su carrera profesional se inició con el grupo *Miami Sound Machine,* dirigido por su marido Emilio Estefan. La artista tiene dos hijos, Nayib, nacido en 1989 y Emily Marie, nacida en 1994. Casi muere en un terrible accidente de autobús pero se recuperó y ha tenido mucho éxito en su carrera. Ha producido muchos discos compactos en inglés y en español, y entre éstos los más famosos son *Mi tierra, Abriendo puertas, Alma caribe* y *Oye mi canto: Los éxitos.* También ha aparecido en varias películas.

1. El cumpleaños de Gloria Estefan es el _____.

   a. 10 de septiembre   **b.** 1º de septiembre   **c.** 15 de septiembre

2. Antes de casarse con Emilio Estefan, Gloria se llamaba Gloria María Milagrosa _____.

   a. Estefan   **b.** Cruz   **c.** Fajardo

3. En la universidad Gloria se especializó en _____.

   a. medicina   **b.** música   **c.** psicología

4. Desde su niñez Gloria sabe tocar _____.

   a. el piano   **b.** la guitarra   **c.** la flauta

5. El director del grupo *Miami Sound Machine* era _____.

   a. Gloria Estefan   **b.** Nayib Estefan   **c.** Emilio Estefan

6. Gloria casi muere en un accidente de _____.

   a. coche   **b.** autobús   **c.** motocicleta

ACTIVIDAD 7. Esmeralda Santiago. Esmeralda Santiago nació en un pueblo rural en Puerto Rico y llegó a Nueva York cuando tenía doce años. Tenía muchos hermanos y su madre trabajaba día y noche porque su padre no estaba allí para ayudarlos. Ella estudió mucho y recibió un título de la Universidad de Harvard. Ella escribe sobre su vida en sus libros y el siguiente pasaje de su libro **Cuando era puertorriqueña** es sobre su madre:

> Para ganar un poco de dinero, las mujeres del barrio lavaban o planchaban ropa o cocinaban para hombres solteros, o preparaban almuerzos para los obreros. Pero Mami salía de casa todas las mañanas, peinada y perfumada, a trabajar en Toa Baja.

1. ¿Qué hacían las mujeres del barrio para ganar un poco de dinero?

   _____

2. ¿Para quiénes hacían este trabajo?

   _____

3. ¿Qué hacía la madre de Esmeralda todas las mañanas?

   _____

4. ¿Dónde trabajaba la madre de Esmeralda?

   _____

Ahora lee sobre la reacción de las otras mujeres del barrio a la madre de Esmeralda.

> Las mujeres del vecindario le volvían la espalda cuando la veían pasar, o, cuando le hablaban, miraban hacia el horizonte.

5. ¿Por qué, crees, las otras mujeres trataban mal a la madre de Esmeralda?

   _____

Contrasting *pero, sino,* and *sino que*

ACTIVIDAD 8. Contrastes. Tú tienes que estudiar para un examen, aunque prefieres estar con tus amigos. Ahora tratas de justificar los sacrificios de tus estudios, contrastando lo que vas a hacer con lo que quieres hacer. Completa la oración con **pero** o **sino,** según el contexto.

Hoy no voy a ir al museo, (1) _____ a la biblioteca. Me gusta mucho el arte, (2) _____

tengo que estudiar para un examen mañana. Es bueno estudiar para los exámenes, (3) _____

muchas veces prefiero salir con mis amigos. (4) _____ esta noche estoy convencida de que no

me va a pasar nada malo, (5) _____ algo muy bueno, gracias a mis estudios.

Using passive forms

ACTIVIDAD 9. Expresiones impersonales. Pon la letra de la expresión impersonal de la columna **B** al lado de la expresión de la columna **A** que complete la oración.

A	B
1. _____ dos secretarias.	**a.** Se reciben
2. _____ muchos libros extranjeros en la librería.	**b.** Se baila
3. _____ la salsa en Nueva York.	**c.** Se venden
4. _____ el piano en el palacio.	**d.** Se hace
5. _____ los programas de la televisión.	**e.** Se graban
6. _____ que hay uniformes para el equipo de fútbol.	**f.** Se toca
7. _____ clic con el ratón de la computadora.	**g.** Se necesitan
8. _____ mensajes del correo electrónico por Internet.	**h.** Se dice

ACTIVIDAD 10. La voz pasiva. Cambia las siguientes oraciones a la pasiva, según el modelo.

▶ **MODELO:** La gente tocó las flautas.

Las flautas _fueron_____ _tocadas_____ por la gente.

1. Los pueblos adoraron el sol y la luna.

   El sol y la luna _____ _____ por los pueblos.

2. Los artesanos usaron el oro.

   El oro _____ _____ por los artesanos.

3. Los aztecas prepararon el chocolate amargo.

   El chocolate amargo _____ _____ por los aztecas.

4. Los mayas estudiaron astronomía.

   La astronomía _____ _____ por los mayas.

5. Los indios usaron muchas hierbas en su medicina.

   Muchas hierbas _____ _____ por los indios en su medicina.

ACTIVIDAD 11. Sorpresas. Escribe las palabras necesarias para completar cada oración según su traducción al inglés.

▶ **MODELO:** _____ *Se nos cayeron*_____ los libros.

We dropped our books.

1. ¿_____ las llaves, Paquito?

   Did you lose your keys, Paquito?

2. _____ llamarme anoche.

   They forgot to call me last night.

3. A nosotros _____ los platos.

   We dropped the plates.

4. _____ que los niños tenían miedo del perro.

   It occurred to me that the children were afraid of the dog.

ACTIVIDAD 12. La mala suerte de Leticia. Lee el siguiente párrafo y contesta las preguntas con oraciones completas.

   ¡Ay! ¡Ayer tuve un día malísimo! Primero, durante el desayuno, se me cayó la taza de café. Tuve que llevar mi traje elegante a la tintorería y ponerme otro. Al vestirme por segunda vez, se me rompió la falda del otro traje, así que tuve que quitármelo. Por fin me puse un vestido, pero se me olvidó ponerme zapatos de tacón alto y medias.

   Llegué a la oficina en sandalias y calcetines. No pude abrir la puerta de mi oficina porque se me perdieron las llaves. No se me ocurrió volver a casa y pasé todo el día trabajando en la oficina de mi amiga. Al final del día estaba sin energía y por fin me fui a casa y me acosté temprano.

1. ¿Qué le pasó a Leticia durante el desayuno?

   _____

   _____

2. Al vestirse con el otro traje, ¿qué le pasó?

   _____

   _____

3. ¿Por qué llevaba sandalias y calcetines?

   _____

   _____

4. ¿Por qué no pudo abrir la puerta de su oficina?

   _____

   _____

5. ¿Qué le pasó al final del día?

   _____

   _____

Lectura

ACTIVIDAD 13. Celebraciones y comidas. Lee el siguiente pasaje y contesta las preguntas. Si la oración es verdadera, escribe una **V**, y si es falsa escribe una **F.**

La familia hispana es muy unida y en sus fiestas hay muchas personas. Todos participan en las fiestas: los abuelos, los padres, los hijos, los primos y los amigos íntimos. En el mundo latino las familias tienen muchas fiestas que celebran frecuentemente. Una fiesta popular es cuando una chica cumple quince años. Por la mañana la "quinceañera" va a la iglesia con su familia. Después hay una gran fiesta con bailes y mucha comida deliciosa. Otra fiesta es el día del santo. Según la tradición cristiana, cada día del año está dedicado a un santo especial. Por ejemplo, el día 24 de junio es el día de San Juan y es el día del santo para las personas que se llaman Juan o Juana.

1. _____ Si te llamas Julia el día de tu santo es el 24 de junio.

2. _____ La quinceañera es una fiesta para las chicas que tienen quince años.

3. _____ En el mundo latino hay fiestas con poca frecuencia.

4. _____ Antes de la fiesta de la quinceañera la familia va a la iglesia.

5. _____ Los padres tienen fiestas solamente para sus amigos.

Escritura

Writing Strategy: Editing one's own work

ACTIVIDAD 14. ¿Quién sería yo? Primero escribe un breve cuento sobre el siguiente tema. Si pudieras ser un hispano famoso (vivo/a o muerto/a), ¿quién serías y por qué? Luego contesta las preguntas sobre tu cuento y revísalo usando esta información y las ideas al final de la Unidad 12 de tu libro de texto. (Mínimo: 60 palabras.)

Cuento original:

_____

_____

_____

_____

_____

_____

_____

_____

Preguntas:

1. ¿Cuál es la cosa más interesante de tu cuento?

   _____

2. ¿Cuál es tu idea central?

   _____

3. ¿Cuál es la idea más importante de tu conclusión?

   _____

4. Corrige aquí tres errores gramaticales.

   _____

5. Corrige aquí tres errores de deletreo (*spelling*) y acentos.

   _____

Ahora usa lo que acabas de escribir, mira las otras ideas en tu libro de texto, p. 426, y revisa tu cuento. Luego vuelve a escribir la versión final aquí:

Cuento revisado:

_____

_____

_____

_____

_____

_____

_____

_____

_____

_____

Lab Activities

UNIDAD 5

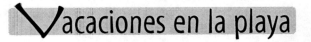
Vacaciones en la playa

PRIMER PASO

ACTIVIDAD 1. Dictado. First repeat the phrases you hear. Then replay the audio, and write the phrases in the blanks. You will hear each phrase twice.

1. _____
2. _____
3. _____
4. _____
5. _____
6. _____
7. _____
8. _____

ACTIVIDAD 2. La llegada. Listen as the Uribe family arrives at the hotel where they will be spending their vacation. Then select the words that best complete each sentence.

1. ...está exhausta.

   a. La recepcionista   **b.** La familia Uribe   **c.** La Sra. Uribe

2. El Sr. Uribe firma el registro en...

   a. la habitación.   **b.** la recepción.   **c.** la piscina.

3. La recepcionista le da al Sr. Uribe...

   a. las maletas.   **b.** el botones.   **c.** la llave.

4. El ascensor queda...

   a. por la puerta roja.   **b.** al lado del conserje.   **c.** al lado del restaurante.

5. La piscina es para...

   a. los empleados.   **b.** los huéspedes.   **c.** Diana.

ACTIVIDAD 3. El primer día de vacaciones. Mrs. Uribe tells her sister Magda what the family did on the first day of their vacation. Listen to her account, then number the statements in the order in which the events occurred.

a. _____ Comieron bien en el restaurante.

b. _____ Llegaron al hotel.

c. _____ Los niños nadaron y los adultos conversaron.

d. _____ Los señores Uribe llevaron a sus hijos a la piscina.

e. _____ El Sr. Uribe firmó el registro.

f. _____ Subieron en el ascensor.

g. _____ Sacaron todas las cosas de las maletas.

ACTIVIDAD 4. Preguntas personales. Each question will be read twice to you with pauses after the second time. Answer each question logically using complete sentences.

1. _____.

2. _____.

3. _____.

4. _____.

SEGUNDO PASO

ACTIVIDAD 5. Dictado. First repeat the words you hear. Then replay the audio, and write the words in the blanks. You will hear each word twice.

1. _____

2. _____

3. _____

4. _____

5. _____

6. _____

7. _____

8. _____

9. _____

10. _____

ACTIVIDAD 6. El agente de viajes. You will hear Fernando, a travel agent, tell you about what he hopes to accomplish at the office today. Choose the word or expression that completes each sentence.

1. Fernando necesita reservar una limosina para...

   a. transportar a la Srta. Landívar y su hermana.

   b. llevarlo a su reunión con Andrea y Marcos a las tres en punto.

   c. recoger a los médicos que asisten a una conferencia nacional.

2. La Srta. Landívar y su hermana van a...

   a. gozar de las playas y las ruinas.

   b. leer los nuevos folletos.

   c. viajar a España.

3. Con Andrea y Marcos, Fernando piensa...

   a. irse de vacaciones a Yucatán.

   b. averiguar la fecha de la conferencia nacional.

   c. hablar de los nuevos paquetes de la agencia de viajes.

ACTIVIDAD 7. El primer día. You will hear Fabiana, a young woman from Puerto Rico, tell you about what she did the first day she arrived in Boston to begin her freshman year in college. Complete the paragraph by filling in the blanks with the verbs Fabiana uses.

Yo (1) _____ al aeropuerto Logan a la una y media de la tarde.

Una amiga de mi madre, doña Catalina Arguedas, me (2) _____ y

(3) _____ a comer en un restaurante excelente. Después

doña Catalina me (4) _____ directamente a la universidad.

(5) _____ mi residencia en el mapa y la (6) _____

sin problemas. (7) _____ todas mis maletas del coche y las

(8) _____ a mi cuarto en el tercer piso. ¡Uff! Eso no

(9) _____ fácil. En el cuarto (10) _____

a mi nueva compañera de cuarto, Michelle. Ella me (11) _____

a desempacar mis cosas. Michelle y yo (12) _____ por largo rato

y ella me (13) _____ muy bien. Cuando doña Catalina nos

(14) _____ a eso de las seis de la tarde, Michelle y yo

(15) _____ a la cafetería para cenar. Allí (16)

_____ a otros estudiantes, algunos muy simpáticos. Después

de cenar, Michelle (17) _____ con un grupo al cine, pero yo

(18) _____ volver al cuarto y llamar a mi familia en San Juan. No

(19) _____ fácil el primer día estar tan lejos de ellos y me

(20) _____ escuchar la voz de mi mamá desde casa.

ACTIVIDAD 8. Una persona generosa. Listen as Genoveva states to whom she lent her things. Fill in the blanks with the pronouns used by Genoveva.

1. ¿El automóvil? _____ _____ presté a Juan. _____ necesitaba para ir a su clase de arquitectura.

2. ¿Las películas de Cantinflas? Pienso prestár_____ a la profesora Vera, porque sé que _____

   encantan.

3. ¿La revista? No _____ _____ presté a nadie. Debe estar sobre mi mesita de noche.

4. ¿Los vasos elegantes? Voy a prestár_____ a ustedes el día de la fiesta. No _____ _____ tienen

   que devolver hasta el lunes o el martes.

ACTIVIDAD 9. Preguntas personales. Imagine that you went to a wonderful party last night and now your friends are asking you about it. You will hear each question read twice with pauses after the second time. Answer each question logically using complete sentences.

1. _____.

2. _____.

3. _____.

4. _____.

UNIDAD 6

El tiempo libre

PRIMER PASO

ACTIVIDAD 1. Dictado. First repeat the words you hear. Then replay the audio, and write the words in the blanks. You will hear each word twice.

1. _____

2. _____

3. _____

4. _____

5. _____

6. _____

7. _____

8. _____

9. _____

10. _____

11. _____

12. _____

ACTIVIDAD 2. Gustos. Amalia and her brother Beto both like music and sports, yet their tastes are very different. Listen as they talk about the types of music and sports they prefer and discuss their plans for the evening. Then write **A** (for Amalia) or **B** (for Beto) before each sentence according to their preferences.

1. _____ Le encanta la música de Enrique Granados.

2. _____ Prefiere los discos de Elvis Crespo.

3. _____ Le aburre el tenis.

4. _____ Tiene ganas de ver el partido de básquetbol.

5. _____ Tiene que estar en las canchas a las ocho.

6. _____ Piensa volver al gimnasio por las chicas.

ACTIVIDAD 3. Explicaciones. You will hear a series of sentences. After you hear each one, select the action or consequence that most logically follows.

1. _____ **a.** Pero no quiero pagar $17 por su nuevo disco compacto.

   b. Voy a ir a su partido de béisbol.

2. _____ **a.** Sé que a su amiga le molestan las películas (*movies*) violentas.

   b. Llamó a la escuela de música para pedir información sobre las clases.

3. _____ **a.** Quiere jugar en el equipo profesional de jai alai.

   b. Quiere participar en los Juegos Olímpicos de Invierno.

4. _____ **a.** Voy a darle un bate y un guante para su cumpleaños.

   b. Voy a darle un traje de baño para su cumpleaños.

5. _____ **a.** Y después vamos a ir al gimnasio.

   b. De allí salimos para Cartagena, una ciudad preciosa en Colombia.

ACTIVIDAD 4. Cuando Ernesto era joven. Listen to Ernesto as he talks about what he used to do when he was young. Next, fill in the blanks with the correct form of the verb in the imperfect. Then read the sentence and decide whether or not it is true. If it is true, write **V** (**verdadero**), if it is false write **F** (**falso**), next to the sentence. Replay the audio as needed.

1. _____ Cuando Ernesto (ser) _____ joven siempre

   (practicar) _____ deportes.

2. _____ Él (bailar) _____ el flamenco.

3. _____ Él (nadar) _____ por las tardes.

4. _____ Ernesto (jugar) _____ al baloncesto en el otoño.

5. _____ Él (hacer) _____ ciclismo en la piscina.

6. _____ Él (ser) _____ un buen deportista pero ahora está muy enfermo.

SEGUNDO PASO

ACTIVIDAD 5. Dictado. First repeat the words you hear. Then replay the audio, and write the words in the blanks. You will hear each word twice.

1. _____   6. _____

2. _____   7. _____

3. _____   8. _____

4. _____   9. _____

5. _____   10. _____

ACTIVIDAD 6. El mundo del espectáculo. Listen to the definitions for people or things that are associated with the world of film or television. Select the word that is associated with the corresponding definition.

1. **a.** actor   **b.** galardón   **c.** periodista

2. **a.** escena   **b.** comedia   **c.** telenovela

3. **a.** narración   **b.** dramatismo   **c.** documental

4. **a.** pantalla   **b.** personaje   **c.** protagonista

5. **a.** cartelera   **b.** guión   **c.** reseña

ACTIVIDAD 7. Josefina debe mandar. Josefina often doesn't express her wishes strongly enough. Listen to her statements and change the verbal expressions into **Ud.** and **Uds.** commands. Replay the audio as needed.

▶ **MODELO:**   ¿Quiere comer este postre?

_____*Coma*_____ este postre.

1. _____ mi cama.

2. _____ los platos.

3. _____ la basura.

4. _____ el CD más reciente de Marc Anthony.

5. _____ el suelo.

6. _____ temprano.

7. _____ sus composiciones.

8. _____ a la biblioteca.

9. _____ en mi silla.

10. _____ ahora.

11. _____ sus cuentas hoy.

UNIDAD 7

De compras

PRIMER PASO

ACTIVIDAD 1. Dictado. En esta sección vas a oír unas oraciones que tienen palabras con **ll** o **y**. Primero una persona argentina va a pronunciar estas oraciones y luego una persona de otro país va a pronunciarlas. Debes repetir cada oración. Después tienes que volver a escuchar las oraciones para escribirlas en los espacios en blanco.

1. _____.

2. _____.

3. _____.

4. _____.

ACTIVIDAD 2. La maleta. Vas a oír a tres personas que están empacando para salir de viaje. Selecciona la ciudad que corresponda a su destinación, según la ropa que empaca.

1. Anchorage   Bombay   Houston

2. Cairo   Londres   Las Vegas

3. Moscú   Montreal   Acapulco

ACTIVIDAD 3. El terremoto. Anoche hubo un terremoto en Bogotá, Colombia. Vas a oír lo que hacían algunas personas cuando el temblor ocurrió. Completa las oraciones con las formas de los verbos que escuches.

1. No _____ nada, porque cuando la tierra empezó a temblar, yo _____

   en mi cama. Obviamente dormía como un tronco, porque no me _____.

2. Mi marido y yo _____ las noticias por la televisión cuando la casa empezó a

   moverse. ¡Nos _____ muy nerviosos!

3. Entiendo que ustedes _____ por la carretera cuando el terremoto

   _____. Probablemente les _____ mucho miedo.

4. A las once yo tenía hambre y _____ a la cocina. Precisamente

   _____ el refrigerador cuando ¡pum! toda la casa _____ a temblar.

ACTIVIDAD 4. Los otavaleños del Ecuador. Vas a oír a don Gustavo describir la ropa tradicional de Otavalo. Luego contesta las preguntas con oraciones completas.

1. ¿De qué forma se visten las otavaleñas? _____.

2. ¿Cuál es el nombre que usan para la falda? _____.

3. ¿De qué color son las blusas? _____.

4. ¿Qué tiene cada comunidad? _____.

SEGUNDO PASO

ACTIVIDAD 5. Dictado. En esta sección vas a oír unas oraciones que tienen palabras con **r** o **rr**. Primero, vas a oír una oración y luego repetirla. Después tienes que volver a escuchar las oraciones para escribirlas en los espacios en blanco.

1. _____.

2. _____.

3. _____.

4. _____.

ACTIVIDAD 6. ¿Cómo se llega... ? Vas a escuchar a una persona que describe cómo se llega a su casa en la colonia (*neighborhood*) Lomas Barrilaco de la Ciudad de México. Pon las instrucciones de la lista en el orden correcto según lo que escuches.

a. _____ Pasen por la Iglesia San José.

b. _____ Doblen a la izquierda en Montañas Rocallosas.

c. _____ Doblen a la derecha en Sierra Ventana.

d. _____ Suban por Paseo de las Palmas.

e. _____ Sigan tres cuadras más por Sierra Ventana.

ACTIVIDAD 7. Comparaciones. Estás en una tienda y oyes varias conversaciones entre dos personas. Resume cada conversación completando las comparaciones a base de la información que escuches.

> ► **MODELO:** Se oye: La bufanda es hermosa. El sombrero es hermoso también.
>
> Se ve: La bufanda es tan _____.
>
> Se escribe: La bufanda es tan *hermosa como el sombrero* _____.

1. La camisa es más _____.

2. La falda es más _____.

3. La sudadera es tan _____.

4. Los clientes compran _____ por Internet que en la tienda.

5. Las botas son más _____.

6. El traje es menos _____.

UNIDAD 8

Salud y bienestar

PRIMER PASO

ACTIVIDAD 1. Dictado. En esta sección vas a oír unas oraciones que tienen palabras con **j** o **h**. Primero vas a oír una oración y luego repetirla. Después tienes que volver a escuchar las oraciones para escribirlas en los espacios en blanco.

1. _____.

2. _____.

3. _____.

4. _____.

ACTIVIDAD 2. En la sala de espera. Dos pacientes, primero David y después Margarita, llegan a la sala de espera de la Dra. Medina. Escucha sus conversaciones con la recepcionista y pon la **D** de David o la **M** de Margarita antes de cada oración.

1. _____ No tiene una nueva dirección.

2. _____ Está mareada.

3. _____ Conoce mejor a la recepcionista.

4. _____ Espera que la doctora le revise la presión sanguínea.

5. _____ Necesita que la atienda una enfermera inmediatamente.

6. _____ Jugó al baloncesto ayer.

7. _____ Le da su número de teléfono a la recepcionista.

8. _____ Su cita es a las diez y media.

ACTIVIDAD 3. Buenos consejos. Escucha los consejos que le da el pediatra a su paciente, Fernandito Guzmán, y a su mamá, la Sra. Guzmán. Completa las oraciones según la información que escuches.

1. Fernandito tiene una infección del _____.

2. Es necesario que _____ muchos líquidos.

3. El pediatra quiere que Fernandito tome una píldora por la mañana y

   _____ por la tarde.

4. Para evitar una reinfección es muy importante que Fernandito _____

   todo el medicamento.

5. El doctor recomienda que la Sra. Guzmán le _____ aspirina a Fernandito

   para la fiebre y un _____ para la tos.

6. Es muy importante que Fernandito _____.

SEGUNDO PASO

ACTIVIDAD 4. Dictado. En esta sección vas a oír unas oraciones que tienen palabras con **b** o **v**. Primero vas a oír una oración y luego repetirla. Después tienes que volver a escuchar las oraciones para escribirlas en los espacios en blanco.

1. _____.

2. _____.

3. _____.

4. _____.

ACTIVIDAD 5. Dudas y verdades. Una serie de personas va a describir algo relacionado a la comida o la nutrición. Completa las oraciones para indicar las opiniones sobre lo que digan.

> ► **MODELO:** Se oye: Esta dieta es balanceada.
>
> Se ve: Lo siento. Dudo que esta dieta _____ balanceada.
>
> Se escribe: Lo siento. Dudo que esta dieta _sea_____ balanceada.

1. Perdón. No es verdad que un paquete de arroz _____ en media hora.

2. No. Sé que esta leche _____ vitaminas extras.

3. No. Dudo que este refresco _____ muchas calorías.

4. Perdón, pero no es cierto que Luis _____ preparar comida italiana.

5. Es verdad. No dudo que estas manzanas _____ agrias.

6. Lo siento, pero es imposible que esta ensalada _____ cebollas.

ACTIVIDAD 6. En el restaurante. Escucha el pasaje sobre lo que pasaba cuando tu amiga estaba cenando una noche. Luego contesta las preguntas usando el pasado progresivo. Escribe oraciones completas.

> ► **MODELO:** ¿Qué estaban haciendo los mozos (*waiters*) mientras yo comía?
>
> *Los mozos estaban sirviendo la comida mientras comías.*

1. ¿Qué estaba haciendo yo el otro día cuando llegó Roberto?

   _____.

2. ¿Qué estaba haciendo mi prima Isabel?

   _____.

3. ¿Qué estaban haciendo los dos enamorados mientras hablaban?

   _____ .

4. ¿Qué estaba haciendo el mozo cuando sacó el anillo Roberto?

   _____ .

5. ¿Qué estaba haciendo Roberto mientras Isabel estaba riendo y llorando de alegría sobre su anillo?

   _____ .

6. ¿Qué piensas de la situación en el dibujo (*drawing*)?

   _____ .

UNIDAD 9

La tecnología

PRIMER PASO

ACTIVIDAD 1. Dictado. En esta sección vas a oír unas oraciones que tienen palabras con **n** o **ñ**. Primero vas a oír una oración y luego repetirla. Después tienes que volver a escuchar las oraciones para escribirlas en los espacios en blanco.

1. _____.

2. _____.

3. _____.

4. _____.

ACTIVIDAD 2. La tecnología. Escucha mientras Marcos habla sobre las cosas que tiene que hacer. Selecciona todas las cosas que reflejen la acción. Para cada pregunta puede haber más de una respuesta correcta.

1. a. esta aplicación
   b. la puerta de mi oficina
   c. el documento de la computadora

2. a. el directorio
   b. el correo electrónico
   c. el teclado

3. a. con el ratón
   b. dos veces
   c. en el monitor

4. a. el correo electrónico
   b. la impresora
   c. la red

5. a. la contraseña
   b. el aparato
   c. la videocámara

ACTIVIDAD 3. Deseos. Tu amigo nunca está satisfecho con su vida. Completa las oraciones con la forma correcta del verbo que oigas.

1. Busco una computadora que _____ muy rápida.

2. Necesito un televisor que _____ una pantalla de plasma.

3. No hay nadie aquí que _____ hacer páginas web.

4. Busco una cámara que _____ buenas fotos.

5. Necesito un cliente que _____ sus cuentas a tiempo.

ACTIVIDAD 4. Hay que descansar. Vas a oír una oración dos veces. Complétala con los mandatos informales que escuches.

Por favor, (1) _____, (2) _____,

(3) _____, (4) _____ la tele,

(5) _____ lo que quieras, pero por Dios, hija mía,

(6) _____ de inventar villanos.

SEGUNDO PASO

ACTIVIDAD 5. Dictado. En esta sección vas a oír unas oraciones que tienen palabras con **c, s** o **z.** Primero vas a oír una oración y luego repetirla. Para cada oración hay dos personas, una de España y otra de otra parte del mundo hispánico. Presta atención a sus acentos. Luego tienes que volver a escuchar las oraciones para escribirlas en los espacios en blanco.

1. _____.
2. _____.
3. _____.
4. _____.

ACTIVIDAD 6. La escuela de conducir. Mientras escuchas los consejos del jefe de una escuela para conducir bien, escribe las palabras que faltan en cada oración.

1. _____ cuando hay un _____ rojo.

2. _____ ambas manos en el _____.

3. _____ si encuentras un problema en la _____.

4. _____ el cinturón de _____.

5. _____ los _____ para no _____

   con un obstáculo en la carretera.

6. No _____ después de beber alcohol.

7. No _____ con nadie por teléfono celular mientras _____.

8. _____ las _____ por la tarde y por la noche.

9. No _____ la radio demasiado alto para oír los _____

   de los otros conductores.

10. _____ los _____ cuando llueve o nieva.

11. No _____ el _____ abierto.

12. _____ el espejo _____ en tráfico.

ACTIVIDAD 7. La conductora perfecta. Escucha el pasaje y escribe las palabras apropiadas para completar las oraciones.

1. El coche de doña Josefina se llama _____.

2. Cuando doña Josefina _____ nunca rompe ninguna ley.

3. Cuando ella _____ 100 años ella va a _____

   una fiesta.

4. Ella nunca _____ ninguna multa.

5. Ella va a conducir hasta que le _____ que no

   _____.

6. Después que _____ la fiesta ella va a _____ un

   chofer que la _____ por todas partes.

ACTIVIDAD 8. ¿Te puedo ayudar? Hoy llegan 12 invitados a tu casa para una cena muy especial. Tu amiga Sandra te llama por teléfono y quiere saber si te puede ayudar. Estás muy agradecida, pero ya has hecho las cosas que ella menciona. Completa tus respuestas escritas a Sandra según el modelo.

► **MODELO:** Se escucha: ¿Quieres que limpie el baño?

   Se escribe: No, gracias, ya *lo he limpiado* _____.

1. No, gracias, ya _____.

2. No, gracias, ya _____.

3. No, gracias, ya _____.

4. No, gracias, ya _____.

5. No, gracias, ya _____.

UNIDAD 10

Tradiciones y artes

PRIMER PASO

ACTIVIDAD 1. Dictado. En esta sección vas a oír unas oraciones que tienen palabras con **ch** o **d**. Primero vas a oír una oración y luego repetirla. Después tienes que volver a escuchar las oraciones para escribirlas en los espacios en blanco.

1. _____.

2. _____.

3. _____.

4. _____.

ACTIVIDAD 2. ¿Qué fiesta es? Vas a oír descripciones de varias fiestas del mundo hispano. Escoge el nombre del feriado correcto y escríbelo en el espacio en blanco.

Carnaval	Día de los Inocentes	Día de los Muertos	Nochevieja	Semana Santa

1. _____

2. _____

3. _____

ACTIVIDAD 3. Antes de la posada. Vas a oír un diálogo entre Juanamaría y Francisco, una pareja mexicana. Hablan de los preparativos para la posada, o fiesta navideña, que dan mañana en su casa. Según lo que dicen, escribe **V** (verdadero) o **F** (falso) junto a las oraciones.

1. _____ Es la primera vez que Francisco y Juanamaría tienen una posada en su casa.

2. _____ Juanamaría ya hizo los tamales. No quiere que Francisco se preocupe.

3. _____ Francisco tiene miedo que todo no esté bien organizado.

4. _____ Juanamaría está segura de que algo inesperado va a ocurrir.

5. _____ Francisco decide comprar más velas y refrescos para que haya suficientes en la fiesta.

ACTIVIDAD 4. Preguntas personales. Un amigo tuyo hondureño quiere saber cómo eras cuando tenías 10 años. Contesta las siguientes preguntas escribiendo oraciones completas, usando por lo menos un verbo en el subjuntivo en tus respuestas. Primero escucha la pregunta, y luego escribe la respuesta después de que el locutor termine con la repetición de la pregunta.

1. _____.

2. _____.

3. _____.

4. _____.

SEGUNDO PASO

ACTIVIDAD 5. Dictado. En esta sección vas a oír unas oraciones que tienen palabras con **ca, co, cu** o **que, qui.** Primero vas a oír una oración y luego repetirla. Después tienes que volver a escuchar las oraciones para escribirlas en los espacios en blanco.

1. _____.

2. _____.

3. _____.

4. _____.

ACTIVIDAD 6. Frida. Vas a oír un pasaje sobre la vida de la artista mexicana Frida Kahlo. Selecciona la fecha o las palabras que mejor completen las oraciones.

1. Frida Kahlo viajó a la ciudad de Nueva York en...
   a. 1931.
   b. 1938.
   c. 1939.

2. André Breton y Julien Levy fueron, entre otras cosas,...
   a. profesores.
   b. realistas.
   c. organizadores de exposiciones de arte.

3. Los cuadros de Frida se basaban...
   a. en sus sueños.
   b. en su realidad autobiográfica.
   c. en su viaje a Francia.

4. Era posible que Diego Rivera se divorciara de Frida Kahlo porque...
   a. ella tenía 31 años.
   b. le molestaba la independencia de su esposa.
   c. ella se había enamorado de otro hombre.

5. En *Las dos Fridas* se expresa el dolor que Frida sentía a causa de...
   a. su divorcio de Diego Rivera.
   b. un accidente terrible que ella sufrió de joven.
   c. no tener cerca a su hermana.

ACTIVIDAD 7. El pequeño artista. Escucha la conversación entre la tía Francisca y su sobrino Gerardo sobre el talento artístico que él mostró cuando era joven. Escoge la palabra correcta de la lista para completar las oraciones.

   lo que   que   quien

1. Tía Francisca recuerda una tarjeta de Navidad _____ su sobrino Gerardo le dibujó.

2. Aunque Gerardito dibujaba muy bien, _____ realmente le interesaban eran las flores.

3. ¿Quién es la profesora Silvestre? Es la persona con _____ Gerardo está tomando una

   clase de horticultura.

4. La doctora Silvestre es la profesora _____ ha escrito varios libros muy importantes.

ACTIVIDAD 8. Preguntas personales. Imagina que tienes interés en buscar una beca para estudiar en una escuela de arte en Costa Rica. Escucha las preguntas del director de la escuela y contéstalas bien para, tal vez, ganar una beca. Primero escucha la pregunta, y luego escribe la respuesta después de que el locutor termine con la repetición de la pregunta.

1. _____.

2. _____.

3. _____.

UNIDAD 11

Temas de la sociedad

PRIMER PASO

ACTIVIDAD 1. Dictado. En esta sección vas a oír unas oraciones que tienen palabras con la letra **g** y varias vocales. Primero vas a oír una oración y luego repetirla. Después tienes que volver a escuchar las oraciones para escribirlas en los espacios en blanco.

1. _____ .
2. _____ .
3. _____ .
4. _____ .
5. _____ .

ACTIVIDAD 2. Los problemas sociales. Identifica el problema social que cada persona describe.

la pobreza   el desempleo   el asesinato
la drogadicción la delincuencia el alcoholismo

Problema 1: _____

Problema 2: _____

Problema 3: _____

ACTIVIDAD 3. El futuro de una idealista. Vas a oír a una mujer joven hablar de sus planes para el futuro. Escribe **V (verdadero)** o **F (falso)** junto a las oraciones, según lo que escuches.

1. _____ María Fernanda Cáceres se graduará de una universidad costarricense.

2. _____ Ella se especializa en español y relaciones internacionales.

3. _____ Se mudará a Centroamérica antes de graduarse.

4. _____ Buscará trabajo con una organización dedicada a los derechos humanos.

5. _____ Le interesan sobre todo los problemas creados por las compañías multinacionales.

6. _____ Es probable que enseñe o que sea administradora.

7. _____ Ganará mucho dinero y lo gastará en proyectos que sirvan a las comunidades indígenas.

8. _____ Se mantendrá en contacto con sus amigos y parientes en los Estados Unidos.

SEGUNDO PASO

ACTIVIDAD 4. Selección de palabras con _p_ o _t_. En esta sección vas a oír primero siete pares de palabras que tienes que repetir. Después se va a decir una palabra de cada grupo y tienes que seleccionar la palabra que oigas.

1. taza / pasa

2. techo / pecho

3. tierna / pierna

4. tapa / papa

5. tan / pan

6. rota / ropa

7. mata / mapa

ACTIVIDAD 5. Dictado. En esta sección vas a oír unas oraciones que tienen palabras con las letras **p** o **t**. Primero vas a oír una oración y luego repetirla. Después tienes que volver a escuchar las oraciones para escribirlas en los espacios en blanco.

1. _____ .

2. _____ .

3. _____ .

ACTIVIDAD 6. Problemas con el planeta. Escucha el pasaje y contesta las preguntas. Puedes volver a escuchar el pasaje cuantas veces como sea necesario.

1. ¿Qué tenemos que hacer con los recursos naturales?

   _____

   _____

2. ¿Qué debemos hacer cuando compramos las cosas?

   _____

   _____

3. ¿Qué debemos hacer antes de tirar (*throw away*) las cosas?

   _____

   _____

4. Escribe tres cosas que estamos haciendo que son malas para el planeta.

   _____

   _____

5. Escribe cuatro problemas que tenemos ahora.

   _____

   _____

6. Escribe tres efectos negativos causados por estos problemas.

   _____

   _____

7. ¿Qué va a pasar si no conservamos y reciclamos?

   _____

   _____

8. ¿Estás de acuerdo con el punto de vista expresado aquí? Explica.

   _____

   _____

   _____

UNIDAD 12

Del pasado al presente

PRIMER PASO

ACTIVIDAD 1. Dictado. En esta sección vas a oír unas palabras que tienen **ui** o **iu**. Primero vas a oír una palabra y luego repetirla. Después, vuelve a escuchar las palabras para escribirlas en los espacios en blanco.

1. _____
2. _____
3. _____
4. _____
5. _____
6. _____
7. _____

8. _____
9. _____
10. _____
11. _____
12. _____
13. _____

ACTIVIDAD 2. Poesía quechua. Vas a oír un poema muy antiguo, sencillo y triste. El poema fue escrito en quechua, el lenguaje de los incas, y fue traducido al español en el siglo XVI. El poema es una *wanka* o elegía; es decir, un lamento por la muerte de una persona amada. Completa el poema según lo que escuches.

Vocabulary:

sombra	*shade*	**regocijo**	*happiness*
cristal	*glass*	**florecer**	*to have flowers; to grow*
ramaje	*branches*	**haber de**	*to have to*
anidar	*to make a nest*	**desierto**	*desert*

Wanka

Protectora sombra de árbol,

(1) _____,

limpio cristal de cascada

(2) _____.

En tu ramaje anidó

(3) _____,

mi regocijo a tu sombra

floreció.

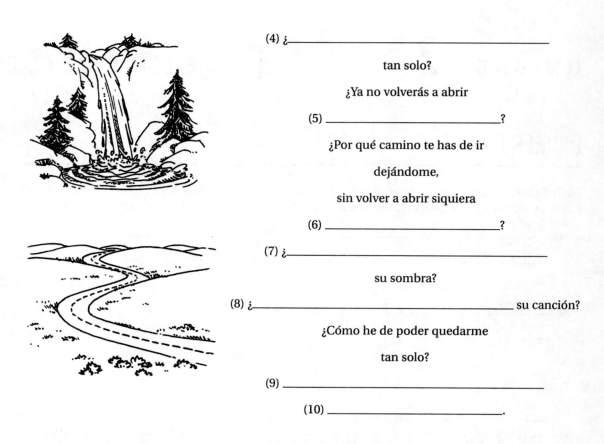

(4) ¿_____

tan solo?

¿Ya no volverás a abrir

(5) _____?

¿Por qué camino te has de ir

dejándome,

sin volver a abrir siquiera

(6) _____?

(7) ¿_____

su sombra?

(8) ¿_____ su canción?

¿Cómo he de poder quedarme

tan solo?

(9) _____

(10) _____.

ACTIVIDAD 3. En otra época. Vas a oír a Silvia, una mujer de 50 años que recuerda su adolescencia en una familia muy tradicional de Bogotá, Colombia. Escoge todas las posibilidades correctas para completar las oraciones según lo que escuches.

1. Hace veinte años, los padres de Silvia insistían en que ella...
   a. volviera directamente a casa de la escuela.
   b. llevara a su hermano de chaperón cuando ella salía con un joven.
   c. impusiera las mismas normas estrictas a su propia hija.

2. Hace muchos años que Silvia...
   a. fue a misa.
   b. comió con la familia en casa de los abuelitos.
   c. supo exactamente dónde y con quién estaba su hija.

3. Hace poco, Silvia decidió que su hija...
   a. también estuviera acompañada de un chaperón cuando saliera.
   b. fuera responsable sin tener a nadie que la vigilara.
   c. tuviera más libertad de lo que a ella se le permitió a los dieciséis años.

ACTIVIDAD 4. ¿Qué harías? Escucha los deseos de Vanesa. Pon la letra de cada deseo bajo el dibujo apropiado.

1. _____   2. _____   3. _____   4. _____   5. _____

SEGUNDO PASO

ACTIVIDAD 5. Dictado. En esta sección vas a oír unas palabras que tienen **ie** o **ei**. Primero vas a oír unas palabras y luego repetirlas. Después tienes que volver a escuchar las palabras para escribirlas en los espacios en blanco.

1. _____

2. _____

3. _____

4. _____

5. _____

6. _____

7. _____

8. _____

9. _____

10. _____

11. _____

12. _____

ACTIVIDAD 6. La identidad latina. Vas a oír un segmento de un artículo escrito por David Hayes-Bautista, profesor de la Facultad de Medicina en la Universidad de California en Los Ángeles. Hayes-Bautista describe algunos aspectos interesantes del Proyecto de Identidad de California, un estudio de más de tres generaciones de latinos en ese estado. Escribe **V (verdadero)** o **F (falso)** junto a las oraciones, según lo que escuches.

1. _____ El autor basa sus comentarios en un estudio de más de tres generaciones de latinos en California.

2. _____ Un alto porcentaje de los latinos de la tercera generación consideran que la familia es un elemento importante para su identidad.

3. _____ Una minoría de latinos hoy en día se identifican como católicos.

4. _____ En comparación con la generación de sus abuelos, ha habido un aumento en el número de latinos que hablan español en los Estados Unidos.

5. _____ Sin embargo, los hispanohablantes son más numerosos que los no hispanohablantes en la tercera generación.

ACTIVIDAD 7. Situaciones. Escucha lo que dicen las personas en varias situaciones y escoge la oración que mejor describa cada situación.

1. _____
2. _____
3. _____
4. _____
5. _____
6. _____
7. _____
8. _____

a. Se me cayeron los platos.
b. Aquí se venden libros.
c. Se me perdieron los libros.
d. Fue hecho en México.
e. Se me olvidó el dinero.
f. El libro fue escrito por Cervantes.
g. Se me olvidaron los mapas.
h. Aquí se habla español.
i. Fueron escritos en California.
j. Se me perdieron las llaves.

Caminos del jaguar Activities

UNIDAD 5

Vacaciones en la playa

PRIMER PASO: Volibol y amor en la playa

ACTIVIDAD 1. Detalles. Complete the following statements by selecting the correct word.

1. En este episodio Adriana y Felipe están en _____.
   a. Sevilla   b. Madrid   c. San Juan   d. Quito

2. El empleado del hotel piensa que Felipe y Adriana son _____.
   a. hermanos   b. esposos   c. españoles   d. pobres

3. Los muchachos en la playa juegan al _____.
   a. volibol   b. fútbol   c. tenis   d. béisbol

4. Para Felipe estos momentos con Adriana en la playa son _____.
   a. espantosos   b. magníficos   c. horribles   d. tristes

5. Nayeli habla por teléfono con _____, su agente de viajes.
   a. Adriana   b. Beatriz   c. Esperanza   d. la abuela

6. _____ no va a perder de vista a Nayeli porque escuchó su conversación.
   a. Felipe   b. Gafasnegras   c. Gerardo   d. Adriana

ACTIVIDAD 2. Verdadero o falso. In the blanks provided, write **V** if the statement is true and **F** if it is false.

1. _____ Adriana está en la playa en Puerto Rico.

2. _____ La abuelita de Nayeli habla con Felipe.

3. _____ Según la abuela, Nayeli hizo lo que tuvo que hacer.

4. _____ Gafasnegras habla por teléfono con Nayeli.

5. _____ Nayeli lleva un traje de baño en la playa.

6. _____ Nayeli está en Quito, Ecuador.

ACTIVIDAD 3. Características. Write the name(s) of the character(s) best described by each sentence.

1. _____ Sabe todos los movimientos de Nayeli.

2. _____ Le dice a Nayeli que las personas son muy importantes.

3. _____ Van a jugar a volibol en la playa.

4. _____ Llegan al hotel en Puerto Rico.

5. _____ Decide viajar a San Juan, Puerto Rico y no a Quito, Ecuador.

ACTIVIDAD 4. ¿Quién lo dice? Read each statement and then identify which character is speaking. Choose from the following characters: **la abuelita, Adriana, Felipe, Gafasnegras, Nayeli.**

1. "Tengo que hacer algo para protegerlos".

   ¿Quién? _____

2. "En Puerto Rico se acaba el juego".

   ¿Quién? _____

3. "¿Por qué no están todavía en Puebla? Les dejé instrucciones y no las siguieron".

   ¿Quién? _____

4. "Los seres humanos importan más que las cosas".

   ¿Quién? _____

5. "Hay momentos perfectos, como éste".

   ¿Quién? _____

SEGUNDO PASO: Dos espías

ACTIVIDAD 5. Detalles. Complete the following statements by selecting the correct word or words.

1. Los primos están en _____.
   - **a.** el Yunque
   - **b.** la ciudad
   - **c.** Sevilla
   - **d.** Quito

2. Los primos siguen secretamente a _____.
   - **a.** Nayeli
   - **b.** Gafasnegras
   - **c.** Felipe y Adriana
   - **d.** Gerardo Covarrubias

3. Uno de los primos estudia para ser _____.
   - **a.** profesor
   - **b.** programador
   - **c.** doctor
   - **d.** abogado

4. Mientras están en el puente (*bridge*), Felipe y Adriana hablan sobre una _____.
   - **a.** ley
   - **b.** cuenta
   - **c.** flor
   - **d.** leyenda

5. Nayeli llega a Puerto Rico desde Madrid en _____.
   - **a.** avión
   - **b.** barco
   - **c.** tren
   - **d.** coche

6. Nayeli está en un coche con _____.
   - **a.** Armando
   - **b.** la abuelita
   - **c.** Felipe y Adriana
   - **d.** Gafasnegras

7. Nayeli recibe una rosa _____.
   - **a.** blanca
   - **b.** amarilla
   - **c.** negra
   - **d.** roja

8. La flor que Nayeli recibe simboliza _____.
   - **a.** amor
   - **b.** peligro
   - **c.** tristeza
   - **d.** alegría

9. Lo más importante para Gafasnegras es saber dónde está _____.
   - **a.** el jaguar
   - **b.** Nayeli
   - **c.** Felipe
   - **d.** Adriana

ACTIVIDAD 6. Verdadero o falso. In the blanks provided, write **V** if the statement is true and **F** if it is false.

1. _____ Felipe le cuenta a Adriana una leyenda sobre el primer hombre y la primera mujer.

2. _____ Adriana y Felipe están en España.

3. _____ Gafasnegras habla con Nayeli.

ACTIVIDAD 7. Características. Write the name(s) of the character(s) best described by each sentence.

1. _____ Le contó a Adriana una leyenda cubana.

2. _____ Ella secuestró (*kidnapped*) a Nayeli.

3. _____ Al salir del aeropuerto ella recibió una rosa.

4. _____ Sacaron fotos de Felipe y Adriana en el Yunque.

ACTIVIDAD 8. ¿Quién lo dice? Read each statement and then identify which character is speaking. Choose from the following characters: **Adriana, Felipe, Gafasnegras, Luis, Nayeli, el primo.**

1. "Busco el jaguar Yax-Balam, el héroe gemelo. ¿Dónde está? Tú lo sabes".

   ¿Quién? _____

2. "Perro que ladra (*barks*) no muerde (*doesn't bite*)".

   ¿Quién? _____

3. "¡No estamos aquí para hablar de tus estudios de programador!"

   ¿Quién? _____

4. "¿Cómo piensas sacar fotos si tienes la lente tapada (*lens cap on*)?"

   ¿Quién? _____

ACTIVIDAD 9. La leyenda de los primeros. Fill in the blanks with the correct form of the verb indicated in the preterite.

Huión, el dios sol, (1) (crear) _____ a Hamao. Hamao

(2) (ser) _____ el primer hombre. La luna

(3) (crear) _____ a Jagua, la madre de las primeras mujeres. Hamao

y Guanaroca (4) (ser) _____ los padres de los primeros hombres.

ACTIVIDAD 10. Mi leyenda. In the spaces below write your own legend describing what is illustrated by the four drawings. Be creative! Be sure to use the preterite.

1. _____

   _____

2. _____

   _____

3. _____

   _____

4. _____

   _____

UNIDAD 6

El tiempo libre

PRIMER PASO: Prisioneros en peligro

ACTIVIDAD 1. Detalles. Complete the following statements by selecting the correct word.

1. Cuando Adriana contesta el teléfono dice _____.

   a. ¡Hola!   **b.** ¿Quién es?   **c.** ¿Bueno?   **d.** Sí

2. Adriana y Felipe tienen que viajar a _____ para ver a Nayeli.

   a. Málaga   **b.** Arecibo   **c.** Mayagüez   **d.** Ponce

3. Zulaya está en _____.

   a. Puerto Rico   **b.** México   **c.** Ecuador   **d.** España

4. El paquete que Zulaya recibe viene de _____.

   a. San Antonio   **b.** Sevilla   **c.** Ponce   **d.** Tibes

5. Nayeli es prisionera de _____.

   a. Gafasnegras   **b.** Adriana   **c.** Zulaya   **d.** Felipe

6. Felipe y Adriana se encuentran con Nayeli en _____ Ceremonial de Tibes.

   a. la Casa   **b.** el Centro   **c.** la Iglesia   **d.** el Templo

ACTIVIDAD 2. Verdadero o falso. In the blanks provided, write **V** if the statement is true and **F** if it is false.

1. _____ Adriana y Felipe están en Sevilla.

2. _____ Nayeli espera a Felipe y Adriana en el aeropuerto de San Juan.

3. _____ Adriana está preocupada sobre Nayeli.

4. _____ El jaguar está en Ponce con Nayeli.

5. _____ Nayeli juega al tenis con Gafasnegras.

6. _____ El hombre del anillo raro habla con Felipe y Adriana.

7. _____ Adriana y Felipe alquilan un carro para ir a buscar a Nayeli.

ACTIVIDAD 3. ¿Quién lo dice? Read each statement and then identify which character is speaking. Choose from the following characters: **Adriana, Felipe, Gafasnegras, Nayeli.**

1. "Algo está mal. ¡Vámonos!"

   ¿Quién? _____

2. "No te necesito ni a ti ni a nadie".

   ¿Quién? _____

3. "Ese hombre me persiguió en Sevilla".

   ¿Quién? _____

4. "Son sólo estudiantes. No saben nada. Son inocentes".

   ¿Quién? _____

5. "¡Nayeli! ¿Qué pasa?"

   ¿Quién? _____

6. "No tienes ningún poder para decir nada".

   ¿Quién? _____

7. "Tienes que escucharme sin preguntar por qué".

   ¿Quién? _____

SEGUNDO PASO: ¡Bomba!

ACTIVIDAD 4. Detalles. Complete the following statements by selecting the correct word.

1. Gafasnegras describe a Nayeli como un/una _____.

   a. madre   **b.** mártir   **c.** amiga   **d.** criminal

2. A _____ le gustan mucho las computadoras porque quiere ser programador.

   a. Felipe   **b.** Gafasnegras   **c.** Luis   **d.** Adriana

3. Gafasnegras quiere _____ a Felipe, Adriana y Nayeli.

   a. destruir   **b.** regalar   **c.** divertir   **d.** conocer

4. Al final del episodio Gafasnegras dice que ya sabe dónde está el _____.

   a. dinero   **b.** jaguar   **c.** libro   **d.** detonador

ACTIVIDAD 5. Verdadero o falso. In the blanks provided, write **V** if the statement is true and **F** if it is false.

1. _____ Nayeli tiene una bomba.

2. _____ Adriana, Felipe y Nayeli tienen la computadora.

3. _____ Gafasnegras es prisionera de Felipe.

4. _____ Gafasnegras quiere matar a Nayeli, Felipe y Adriana.

5. _____ Nayeli defiende a Felipe y Adriana: dice que ellos son inocentes.

6. _____ Felipe está enojado con Luis cuando trata mal a Adriana.

ACTIVIDAD 6. ¿Quién lo dice? Read each statement and then identify which character is speaking. Choose from the following characters: **Adriana, Felipe, Gafasnegras, Nayeli.**

1. "Ustedes acaban de perder. ¡Adiós para siempre!"

   ¿Quién? _____

2. "¿Qué van a hacer con nosotros?"

   ¿Quién? _____

3. "Les dejo la computadora. ¡Es un regalo para sus últimas horas!"

   ¿Quién? _____

ACTIVIDAD 7. Mi personaje. Imagine that a new character will appear in the next episode of **Caminos del jaguar.** Write an essay describing this person. Be sure to include information about his/her name, profession, age, city of origin and what he/she does and to whom.

_____

_____

_____

_____

_____

UNIDAD 7

De compras

PRIMER PASO: Ganas de vivir

ACTIVIDAD 1. ¿Quién lo hizo? En los espacios en blanco, escribe los nombres de los personajes apropiados. Escoge entre **Adriana, Felipe, don Gustavo, Miguel, Nayeli.**

1. _____ Habló con don Gustavo por teléfono.

2. _____ Escuchó la historia del secuestro de Felipe y Adriana.

3. _____ Rompió (*broke*) la ventanita con la computadora.

4. _____ Llamó a Gafasnegras mientras vigilaba la casa de don Gustavo.

5. _____ Se fue a Costa Rica para evadir a las autoridades.

6. _____ Negociaron con un taxista para ir a Otavalo.

7. _____ Se asustó mucho con el sueño que tuvo.

8. _____ Contaron la historia de su secuestro en Puerto Rico.

ACTIVIDAD 2. Verdadero o falso. En los espacios en blanco, escribe **V** si la oración es verdadera y **F** si es falsa.

1. _____ Nayeli apareció en un sueño de Adriana.

2. _____ Adriana, Nayeli y Felipe estaban en la cabaña cuando Gafasnegras detonó la bomba.

3. _____ Ahora Nayeli está en Costa Rica.

4. _____ Doña Carmen es la madre de Nayeli.

5. _____ Adriana y Felipe van a buscar el jaguar en Otavalo.

6. _____ El jaguar Hun-Ahau está en la casa de doña Carmen.

ACTIVIDAD 3. Un héroe. Felipe hace un resumen de cómo Adriana le ayudó cuando estaban secuestrados. Completa el diálogo con el pretérito o imperfecto del verbo entre paréntesis.

FELIPE: Primero, después de que (1) (irse) _____ los asesinos,

Adriana (2) (comenzar) _____ a desatarme. Por fin ella lo

(3) (lograr) _____ y yo (4) (ponerse) _____

de pie. Yo (5) (saber) _____ que yo

(6) (tener) _____ que cubrir el detonador porque así

Caminos del jaguar Activities ◄ Unidad 7 **225**

no le (7) (poder) _____ llegar la señal del control remoto.

Yo (8) (ver) _____ una cubeta vieja que

(9) (estar) _____ allí y usando mis pies,

yo (10) (lograr) _____ cubrir el detonador con ella.

DON GUSTAVO: ¿No (11) (estar) _____ ustedes paralizados del susto?

ADRIANA: Pues, sí, ahora que lo pienso bien, yo (12) (tener) _____

muchísimo miedo, pero ¡Felipe es más bravo que un león!

ACTIVIDAD 4. ¿Quién y por qué? Lee cada oración y luego escribe el nombre del personaje que habla y explica por qué. Escoge entre **la abuelita, Adriana, Felipe, Gafasnegras, don Gustavo.**

1. "¿Puede recogernos en el hotel a las ocho de la mañana?"

   ¿Quién? _____ ¿Por qué? _____
   _____

2. "Tu misión es encontrar el jaguar y devolvérselo a México".

   ¿Quién? _____ ¿Por qué? _____
   _____

3. "Yo creo que nos protegía Yax-Balam, el gemelo más listo de los dioses".

   ¿Quién? _____ ¿Por qué? _____
   _____

4. "Cubrí el detonador con una cubeta (*pail*) vieja".

   ¿Quién? _____ ¿Por qué? _____
   _____

5. "Los asesinos creyeron que nos habían dejado en la tumba".

   ¿Quién? _____ ¿Por qué? _____
   _____

6. "Pero ¡eso no puede ser; yo misma los maté en Puerto Rico!"

   ¿Quién? _____ ¿Por qué? _____
   _____

SEGUNDO PASO: Magia en Mitad del Mundo

ACTIVIDAD 5. Detalles. Selecciona la palabra correcta para la oración.

1. Hun-Ahau es el jaguar que representa _____.

   a. la tierra   **b.** el sol   **c.** la luna   **d.** el cielo

2. El restaurante donde Adriana y Felipe comen se llama La _____.

   a. Tumba   **b.** Barraca   **c.** Choza   **d.** Gallina

3. Según Adriana, los jaguares gemelos están hechos de _____.

   a. oro   **b.** plata   **c.** barro   **d.** piedra

4. Pacal era un _____.

   a. jaguar   **b.** rey   **c.** dios   **d.** emperador

5. El códice maya más completo está en _____.

   a. Dresden   **b.** Madrid   **c.** París   **d.** Roma

ACTIVIDAD 6. Verdadero o falso. En los espacios en blanco, escribe **V** si la oración es verdadera y **F** si es falsa.

1. _____ El taxi de Felipe y Adriana tiene una llanta pinchada.

2. _____ Don Gustavo piensa que Felipe y Adriana parecen muy inocentes.

3. _____ Doña Carmen pagó los estudios de Felipe y Adriana.

4. _____ En el restaurante Adriana y Felipe comen hamburguesas con unas Coca-Colas.

5. _____ El 31 de agosto es el día en que nació Pacal.

ACTIVIDAD 7. ¿Quién y por qué? Lee cada oración y luego escribe el nombre del personaje que habla y explica por qué. Escoge entre **Adriana, Felipe, Gafasnegras, don Gustavo.**

1. "Podemos tocarnos los dedos a través de los dos hemisferios".

   ¿Quién? _____ ¿Por qué? _____

   _____

2. "Tienen que tener cuidado. No confíen en nadie".

   ¿Quién? _____ ¿Por qué? _____

   _____

3. "¡Yax-Balam, eres mío, mío, mío, solamente mío!"

   ¿Quién? _____ ¿Por qué? _____

   _____

Caminos del jaguar Activities ◄ Unidad 7   **227**

4. "Alguien robó a Yax-Balam camino a Sevilla y fue muy fácil implicar a Nayeli".

¿Quién? _____ ¿Por qué? _____

_____

5. "Mira, puedo estar en un hemisferio en un momento, y en el otro segundos después".

¿Quién? _____ ¿Por qué? _____

_____

ACTIVIDAD 8. Mi proyecto. Imagina una fecha especial para la cual tienes que cumplir (*accomplish*) algo importante para los jaguares gemelos. Escribe una composición sobre este proyecto (*project*) y sobre las consecuencias que van a pasar si no cumples con la fecha. Tu cuento puede terminar feliz o tristemente.

_____

_____

_____

_____

_____

_____

_____

_____

_____

_____

_____

UNIDAD 8

PRIMER PASO: La curandera carismática

ACTIVIDAD 1. ¿Quién lo hizo? En los espacios en blanco, escribe los nombres de los personajes apropiados. Escoge entre **Adriana, Felipe, Gafasnegras, Mario, un hombre otavaleño, Zulaya.**

1. _____ Tiene a Yax-Balam en las manos.

2. _____ Habla con Zulaya en su tienda.

3. _____ Se siente mal y tiene soroche.

4. _____ Recomienda que Felipe y Adriana vayan a la casa de una curandera.

5. _____ Pregunta por Zulaya Piscomayo Curihual.

ACTIVIDAD 2. Verdadero o falso. En los espacios en blanco, escribe **V** si la oración es verdadera y **F** si es falsa.

1. _____ Zulaya pone el jaguar en una bolsa y en otra pone una piedra.

2. _____ Felipe y Adriana están mareados y tienen soroche.

3. _____ Para Adriana, según doña Remedios, los tres guías en su vida van a ser el jaguar, un mapa y Felipe.

4. _____ Doña Remedios es curandera.

5. _____ Nayeli está en Otavalo y busca a doña Remedios.

6. _____ Zulaya tiene el libro de Nayeli.

ACTIVIDAD 3. Adriana tiene soroche. Completa las oraciones sobre lo que quieren Adriana, Felipe y el hombre del mercado. Usa el subjuntivo del verbo entre paréntesis.

ADRIANA: Felipe, quiero que tú me (1) (decir) _____ dónde estoy y qué pasa.

FELIPE: Adriana, por favor, te pido que (2) (tranquilizarse) _____.

FELIPE: Adriana, te ruego que me (3) (creer) _____. Todo está bien, no

pasa nada.

HOMBRE: Por favor, les pido a ustedes que no (4) (alarmarse) _____; el soroche

es muy común entre los turistas.

FELIPE: Le ruego que nos (5) (decir) _____ quién es usted.

HOMBRE: Recomiendo que nosotros (6) (llevar) _____ a su amiga a ver a

doña Remedios.

Caminos del jaguar Activities ◄ Unidad 8 **229**

HOMBRE: Es importante que doña Remedios (7) (hablar) _____ con su amiga.

HOMBRE: Deseo que ustedes me (8) (creer) _____: doña Remedios sabe curar

todos los males.

ACTIVIDAD 4. Nayeli le aconseja a Adriana. Cuando Adriana está en el mercado, se siente mal y le parece que está soñando con Nayeli. En ese sueño, Nayeli le da algunos consejos. Completa las oraciones con el presente del subjuntivo de los verbos entre paréntesis.

1. Nayeli dice que es importante que Adriana (escuchar) _____ su corazón.

2. Nayeli tiene miedo de que el intelecto (engañar) _____ a Adriana.

3. Nayeli no quiere que Adriana (repetir) _____ sus mismos errores.

4. Nayeli espera que la historia (ser) _____ la maestra de Adriana.

5. Según Nayeli, es esencial que la gente (conocer) _____ la historia para

construir su futuro.

6. Según Nayeli, es importante que Adriana no (perder) _____ su camino.

7. Nayeli le recomienda a Adriana que el jaguar, la justicia y el honor (ser) _____

sus guías.

ACTIVIDAD 5. ¿Quién y por qué? Lee cada oración y luego escribe el nombre del personaje que habla y explica por qué. Escoge entre **Adriana, Felipe, Gafasnegras, Mario, doña Remedios, Zulaya.**

1. "El jaguar está en el amanecer. El jaguar siempre despierta al amanecer".

¿Quién? _____ ¿Por qué? _____

_____

2. "Hija mía, estás enferma porque tu corazón y tu intelecto están en guerra (*war*)".

¿Quién? _____ ¿Por qué? _____

_____

3. "Devolver el jaguar a México es importante para la historia de nuestra organización".

¿Quién? _____ ¿Por qué? _____

_____

4. "Tienes que escuchar tu corazón. El intelecto te puede engañar".

¿Quién? _____ ¿Por qué? _____

_____

5. "Es gente muy peligrosa. Solamente les interesa el dinero".

¿Quién? _____ ¿Por qué? _____

_____

SEGUNDO PASO: Un plan secreto

ACTIVIDAD 6. Detalles. Selecciona la palabra correcta para la oración.

1. Felipe y Adriana miran un tejido que representa el amanecer con un/a _____ grande.

   a. luna   **b.** jaguar   **c.** sol   **d.** perro

2. Adriana dice que cree que Yax-Balam está en _____.

   a. México   **b.** Sevilla   **c.** Otavalo   **d.** San Juan

3. Gafasnegras descubre que en la bolsa donde creía que estaba Yax-Balam, había _____.

   a. una piedra   **b.** papel   **c.** un libro   **d.** dinero

ACTIVIDAD 7. Verdadero o falso. En los espacios en blanco, escribe **V** si la oración es verdadera y **F** si es falsa.

1. _____ Zulaya le da una bolsa a Felipe.

2. _____ Adriana descubre que tiene a Yax-Balam con ella cuando está en el campo con Felipe.

3. _____ Adriana y Felipe salen de la tienda de Zulaya por la puerta principal.

4. _____ Adriana está increíblemente feliz cuando saca a Yax-Balam de la bolsa.

5. _____ Gafasnegras descubre que Hun-Ahau está en la tienda de Zulaya.

6. _____ Adriana compra muchas cosas en la tienda de Zulaya.

ACTIVIDAD 8. ¿Quién lo hizo? En los espacios en blanco, escribe los nombres de los personajes apropiados. Escoge entre **Adriana, Felipe, Gafasnegras, Zulaya.**

1. _____ Estaba leyendo el libro de Nayeli antes de la llegada de Adriana.

2. _____ Descubrieron que tienen Yax-Balam.

3. _____ Le contó a Zulaya la historia de los jaguares robados.

4. _____ Está muy enojada con Zulaya.

ACTIVIDAD 9. En el mercado. Adriana y Felipe andan mirando cosas en el mercado de Otavalo y de pronto, ven algo que les interesa mucho. Elige el verbo correcto, según el contexto.

1. Felipe cree que Adriana se **siente / sienta** mejor.

2. Es obvio que el té de doña Remedios **puede / pueda** curar todos los males.

3. Felipe no está seguro de que el tejido **es / sea** bonito.

4. Zulaya opina que Adriana **quiere / quiera** comprar algo especial.

5. No es seguro que Adriana **piensa / piense** comprar algo.

6. Está claro que a Adriana le **gusta / guste** el tejido del amanecer.

Caminos del jaguar Activities ◄ Unidad 8   **231**

ACTIVIDAD 10. ¿Quién y por qué? Lee cada oración y luego escribe el nombre del personaje que habla y explica por qué. Escoge entre **Adriana, Felipe, Gafasnegras, Zulaya.**

1. "Estoy segura de que es el auténtico. La suerte sigue con nosotros".

   ¿Quién? _____ ¿Por qué? _____

   _____

2. "¡Mira! Es el amanecer".

   ¿Quién? _____ ¿Por qué? _____

   _____

3. "¡Era Gafasnegras, la que trató de matarnos en Puerto Rico!"

   ¿Quién? _____ ¿Por qué? _____

   _____

4. "Me fascinan los objetos de arte precolombinos".

   ¿Quién? _____ ¿Por qué? _____

   _____

5. "¡Qué mala suerte! Pero aquí no termina la historia".

   ¿Quién? _____ ¿Por qué? _____

   _____

6. "¡Qué coincidencia! ¿Está usted leyendo este libro?"

   ¿Quién? _____ ¿Por qué? _____

   _____

ACTIVIDAD 11. Risas. ¿A qué se refiere la expresión "El que ríe último, ¡ríe mejor!" en este episodio? Explica tus ideas.

_____

_____

_____

_____

_____

UNIDAD 9

PRIMER PASO: ¿Misión cumplida?

ACTIVIDAD 1. Detalles. Selecciona la palabra correcta para la oración.

1. Armando está en _____.

   a. Costa Rica   **b.** México   **c.** Ecuador   **d.** España

2. En la casa de doña Carmen hay unos _____.

   a. actores   **b.** pintores   **c.** plomeros   **d.** electricistas

3. Adriana le da Yax-Balam a _____.

   a. Nayeli   **b.** doña Carmen   **c.** Gafasnegras   **d.** Armando

4. Nayeli recibe una rosa _____ al final del episodio.

   a. blanca   **b.** amarilla   **c.** roja   **d.** negra

ACTIVIDAD 2. Verdadero o falso. En los espacios en blanco, escribe **V** si la oración es verdadera y **F** si es falsa. Corrige las oraciones falsas.

1. _____ Nayeli cree que Armando es culpable del robo del jaguar.

   _____

2. _____ Nayeli conoció a Armando en la Universidad de Madrid.

   _____

3. _____ Nayeli cree que Armando es muy bueno y muy simpático.

   _____

4. _____ Nayeli llega a la finca de doña Carmen en Puerto Rico.

   _____

5. _____ Felipe y Adriana están muy felices cuando ven a los dos jaguares juntos en la casa de doña Carmen.

   _____

6. _____ Armando llama por teléfono a Zulaya porque quiere que alguien recoja el paquete con el jaguar.

   _____

7. _____ Zulaya le dice a Armando que el paquete está allí y que ella quiere su pago.

   _____

     Caminos del jaguar Activities ◄ Unidad 9   **233**

ACTIVIDAD 3. Armando. Imagina que eres doña Carmen y le dices a Nayeli lo que debe hacer. Para saber lo que le dice a su ahijada, completa las oraciones con los mandatos informales (**tú**) indicados.

1. No, Nayeli, no (creer) _____ en esas cosas.

2. Nayeli, no (decirme) _____ nada hoy.

   (Contarme) _____ todo mañana.

3. Por favor, no (pensar) _____ mal de Armando.

4. Nayeli, (dormir) _____ un rato y (descansar) _____.

5. Por favor, (controlar) _____ tu imaginación.

6. Nayeli, (descansar) _____, (dormir) _____,

   (leer) _____ y (hacer) _____ lo que quieras, pero

   por favor, no (inventar) _____ cuentos falsos.

ACTIVIDAD 4. ¿Quién y por qué? Lee cada oración y luego escribe el nombre del personaje que habla y explica por qué. Escoge entre **Adriana, Armando, doña Carmen, Felipe, Nayeli, Zulaya.**

1. "El paquete se lo entregué ayer a su representante".

   ¿Quién? _____ ¿Por qué? _____
   _____

2. "Por fin están reunidos los dos jaguares. Misión más o menos cumplida".

   ¿Quién? _____ ¿Por qué? _____
   _____

3. "¡Qué gusto verte, ahijada!"

   ¿Quién? _____ ¿Por qué? _____
   _____

4. "Qué bueno sentirme segura. Aquí nadie me está vigilando".

   ¿Quién? _____ ¿Por qué? _____
   _____

5. "¡Gooool!"

   ¿Quién? _____ ¿Por qué? _____
   _____

6. "Tienes que controlar tu imaginación. Duerme un poco. Mañana todo se va a aclarar".

   ¿Quién? _____ ¿Por qué? _____
   _____

7. "¡Qué belleza! No recordaba la fuerza que tiene. Es sobrenatural".

   ¿Quién? _____ ¿Por qué? _____
   _____

8. "Perdonen el desorden, pero están pintando la casa".

¿Quién? _____ ¿Por qué? _____

_____

9. "Yo cumplí con mi obligación de devolver el jaguar a México. Su dinero no me interesa".

¿Quién? _____ ¿Por qué? _____

_____

SEGUNDO PASO: Intuiciones y acusaciones

ACTIVIDAD 5. ¿Quién lo hizo / quiénes lo hicieron? En los espacios en blanco, escribe los nombres de los personajes apropiados. Escoge entre **Adriana, doña Carmen, Felipe, Nayeli, los pintores.**

1. _____ admiran el paisaje (*landscape*) de Costa Rica.

2. _____ se portan (*behave*) sospechosamente.

3. _____ le habla de doña Carmen a Nayeli.

4. _____ cree que la intuición de Adriana le ha engañado.

ACTIVIDAD 6. Verdadero o falso. En los espacios en blanco, escribe **V** si la oración es verdadera y **F** si es falsa. Corrige las oraciones falsas.

1. _____ Adriana siente algo muy negativo sobre doña Carmen.

_____

2. _____ Felipe cree que doña Carmen es un criminal.

_____

3. _____ Nayeli cree que doña Carmen es una persona magnífica.

_____

4. _____ Al final del episodio se apagan las luces.

_____

5. _____ Durante la cena, Adriana no está muy contenta con doña Carmen.

_____

6. _____ A Nayeli no le gusta la comida de doña Carmen.

_____

7. _____ El bosque cerca de la casa de doña Carmen tiene muchas mariposas (*butterflies*) y una cantidad de pájaros (*birds*) bonitos.

_____

ACTIVIDAD 7. Diversidad biológica. ¿Qué dicen Adriana y Felipe? Completa estas afirmaciones con el presente perfecto.

1. Felipe opina que Costa Rica siempre (ser) _____ _____ un país con mucha diversidad biológica.

2. Felipe dice que él (comprobar) _____ _____ este hecho con una sola caminata.

3. Costa Rica le (parecer) _____ _____ a Adriana como un paraíso de novela.

4. Felipe dice que la diversidad es real y que ellos la (disfrutar) _____ _____ mucho.

5. Adriana dice que ella (ver) _____ _____ muchas mariposas.

6. Felipe dice que él nunca (entender) _____ _____ por qué la gente no se viste con ropa de muchos colores, como los de los pájaros.

ACTIVIDAD 8. ¿Quién y por qué? Lee cada oración y luego escribe el nombre del personaje que habla y explica por qué. Escoge entre **Adriana, doña Carmen, Felipe, Nayeli.**

1. "Eres fiel como un perro..."

   ¿Quién? _____ ¿Por qué? _____

   _____

2. "¡Eres astuta como un zorro (*fox*)!"

   ¿Quién? _____ ¿Por qué? _____

   _____

3. "Quizá debo escuchar mi intuición, mi corazón".

   ¿Quién? _____ ¿Por qué? _____

   _____

4. "Tengo la sospecha de que doña Carmen está involucrada en el robo de Yax-Balam".

   ¿Quién? _____ ¿Por qué? _____

   _____

5. "Ella es como mi segunda madre".

   ¿Quién? _____ ¿Por qué? _____

   _____

UNIDAD 10

PRIMER PASO: En la oscuridad

ACTIVIDAD 1. Verdadero o falso. En los espacios en blanco, escribe **V** si la oración es verdadera y **F** si es falsa. Corrige las oraciones falsas.

1. _____ Cuando vuelven las luces doña Carmen está en el comedor comiendo felizmente.

   _____

2. _____ Doña Carmen usa videocámaras para vigilar su finca.

   _____

3. _____ Adriana está muy feliz con todo en este episodio.

   _____

4. _____ Nayeli está muy preocupada al final de este episodio.

   _____

5. _____ Según Nayeli, doña Carmen robó los jaguares gemelos.

   _____

6. _____ Alguien como Gafasnegras sale corriendo de la casa de doña Carmen por la noche.

   _____

ACTIVIDAD 2. ¿Qué pasó? Completa las oraciones sobre este episodio del video.

1. Le pareció extraño a Adriana _____.
   a. que doña Carmen desapareciera cuando se cortó la luz
   b. que Nayeli se enojara con ella
   c. que no viniera el electricista

2. Les molestó a Felipe y Nayeli _____.
   a. que se cortara la luz
   b. que doña Carmen desapareciera
   c. que Adriana insistiera en dudar de doña Carmen

3. Adriana le rogó a doña Carmen _____.
   a. que pusiera música
   b. que la disculpara y comprendiera su angustia
   c. que se calmara

4. Durante la falla eléctrica _____.
   a. alguien llamó a la puerta
   b. alguien se fue de la casa
   c. vino el electricista

ACTIVIDAD 3. Sorpresa desagradable. Doña Carmen y sus invitados descubren que alguien se ha robado los jaguares y hacen conjeturas sobre quién lo hizo. Completa las oraciones con el presente o el imperfecto del subjuntivo o con el infinitivo de los verbos entre paréntesis.

1. Nadie pudo robarse los jaguares a menos que (saber) _____ que estaban allí.

2. Antes de que alguien (robar) _____ los jaguares, hubo una falla eléctrica en la finca.

3. Hemos pasado por muchas dificultades a fin de (recuperar) _____ los jaguares.

4. Hay videocámaras y todo está vigilado para que el ladrón no (escaparse) _____.

5. Las videocámaras necesitan electricidad para (funcionar) _____.

6. Adriana no debe decir nada a menos que (saber) _____ la verdad.

ACTIVIDAD 4. ¿Quién y por qué? Lee cada oración y luego escribe el nombre del personaje que habla y explica por qué. Escoge entre **Adriana, doña Carmen, Felipe, Nayeli.**

1. "No me gusta que doña Carmen no esté aquí ahora".

   ¿Quién? _____ ¿Por qué? _____
   _____

2. "En esta situación estamos muy preocupados por los jaguares".

   ¿Quién? _____ ¿Por qué? _____
   _____

3. "Fui a ver qué pasaba con el generador. No entiendo por qué se fue la luz".

   ¿Quién? _____ ¿Por qué? _____
   _____

4. "¡No puede ser, con el trabajo que nos costó reunir a los jaguares!"

   ¿Quién? _____ ¿Por qué? _____
   _____

5. "¡Armando robó los jaguares!"

   ¿Quién? _____ ¿Por qué? _____
   _____

6. "Tengo videocámaras, todo está vigilado".

   ¿Quién? _____ ¿Por qué? _____
   _____

7. "¿Y las videocámaras funcionan sin electricidad?"

   ¿Quién? _____ ¿Por qué? _____
   _____

SEGUNDO PASO: ¿Traición o verdad?

ACTIVIDAD 5. Detalles. Selecciona la palabra correcta para la oración.

1. Gafasnegras se llama _____ Gorrostiaga.

   a. Maribel   **b.** Maricarmen   **c.** Mariluz   **d.** Marisa

2. Gafasnegras trabajaba originalmente para _____.

   a. el gobierno   **b.** Armando   **c.** Nayeli   **d.** el Sr. Covarrubias

3. _____ quiere llamar a la policía.

   a. Felipe   **b.** Adriana   **c.** doña Carmen   **d.** Nayeli

4. Felipe, Nayeli y Adriana escuchan un mensaje de Armando para _____.

   a. Zulaya   **b.** Mario   **c.** Gafasnegras   **d.** doña Carmen

5. Ahora, según el mensaje, _____ tiene los dos jaguares.

   a. Armando   **b.** doña Carmen   **c.** Gafasnegras   **d.** Zulaya

6. Adriana y Felipe van a ir a _____.

   a. San Antonio   **b.** México   **c.** Quito   **d.** Otavalo

ACTIVIDAD 6. Verdadero o falso. En los espacios en blanco, escribe **V** si la oración es verdadera y **F** si es falsa. Corrige las oraciones falsas.

1. _____ Doña Carmen dice que se va para hablar con los vecinos por un rato.

   _____

2. _____ Nayeli está muy contenta con la amistad entre doña Carmen y Armando.

   _____

3. _____ Doña Carmen y Armando hablan por teléfono sobre los jaguares.

   _____

4. _____ Doña Carmen es una pobre víctima inocente de los criminales.

   _____

5. _____ Adriana y Felipe van a ir a México para buscar a Gafasnegras y los jaguares gemelos.

   _____

6. _____ Doña Carmen llamó a la policía inmediatamente.

   _____

7. _____ Según Armando, Mariluz lo engañó y robó los jaguares.

   _____

8. _____ Nayeli le pidió a Adriana que la perdonara.

   _____

Caminos del jaguar Activities ◄ Unidad 10   **241**

9. _____ Adriana le dijo a Nayeli que buscara otra asistente porque ya no confiaba en ella.

_____

10. _____ Doña Carmen decidió buscar un asistente que fuera más competente que Armando.

_____

ACTIVIDAD 7. ¿Quién y por qué? Lee cada oración y luego escribe el nombre del personaje que habla y explica por qué. Escoge entre **Adriana, Armando, doña Carmen, Felipe, Nayeli.**

1. "Armando y mi madrina han estado trabajando juntos. No lo puedo creer. Estoy deshecha".

¿Quién? _____ ¿Por qué? _____

_____

2. "La señorita que contraté para ayudarnos a recuperar los héroes gemelos, la que nos hizo el trabajito en Puerto Rico, Mariluz Gorrostiaga, nos traicionó, nos robó los jaguares".

¿Quién? _____ ¿Por qué? _____

_____

3. "Ahora tenemos que pensar en recuperar los jaguares".

¿Quién? _____ ¿Por qué? _____

_____

4. "Dejaste un recado muy detallado en la grabadora".

¿Quién? _____ ¿Por qué? _____

_____

5. "Cuídense. Su misión es muy peligrosa".

¿Quién? _____ ¿Por qué? _____

_____

6. "Las dos piezas estaban aquí antes de la cena y ahora, no sé, ya no están. Yo estaba con ustedes".

¿Quién? _____ ¿Por qué? _____

_____

ACTIVIDAD 8. El engaño. Nayeli habla sobre el engaño y la traición. ¿Quién/es engaña/n a quién/es? ¿Cómo? ¿Cuál es el resultado? ¿Por qué? Escribe una composición sobre estos engaños y cómo afectan a los personajes. ¿Qué deben hacer las víctimas?

_____

_____

_____

_____

_____

_____

UNIDAD 11

PRIMER PASO: Trampa de trampas

ACTIVIDAD 1. ¿Quién lo hace? En los espacios en blanco, escribe los nombres de los personajes apropiados. Escoge entre **Adriana, el anticuario** (*the Antiques Dealer*), **Felipe, Gafasnegras, Raúl.**

1. _____ Está en la tienda del anticuario, tratando de venderle los jaguares.

2. _____ Habla por teléfono con el anticuario sobre Gafasnegras.

3. _____ Visitan la tienda del anticuario.

4. _____ Dice que Raúl tiene todo bajo control.

5. _____ Pone un anuncio en el periódico para atraparle a Gafasnegras.

ACTIVIDAD 2. Verdadero o falso. En los espacios en blanco, escribe V si la oración es verdadera y F si es falsa. Corrige las oraciones falsas.

1. _____ Felipe y Adriana están en el apartamento de Adriana en San Antonio.

   _____

2. _____ Adriana y Felipe buscan a los anticuarios de San Antonio en la guía telefónica.

   _____

3. _____ Raúl es un agente mexicano quien finge (*pretends*) ser coleccionista de arte.

   _____

4. _____ Felipe puso una noticia en Internet sobre los jaguares gemelos.

   _____

5. _____ Según Raúl, Gafasnegras ha caído en el río.

   _____

ACTIVIDAD 3. ¿Qué pasó? Completa el resumen del episodio con las palabras apropiadas de la lista.

se inquietó	San Antonio	guía telefónica	Gafasnegras	se especializaba
anuncio	examinó	cliente	autoridades	control
coleccionista	recuperar	salió	anticuarios	cometiera
tienda	se preocupara	trampa	vender	

En el apartamento de Adriana en (1) _____, Adriana y Felipe empezaron a

buscar a (2) _____. Usaron la (3) _____ para llamar a los

(4) _____, pensando que Gafasnegras iba a tratar de (5) _____

los jaguares. Esperaban que ella (6) _____ algún error. Entretanto, Gafasnegras visitó la (7) _____ de un anticuario, quien (8) _____

los jaguares. El anticuario le dijo a Gafasnegras que él no (9) _____ en este

tipo de objeto, pero que tenía un (10) _____ perfecto. Le dio una tarjeta

con el nombre, número y dirección de un (11) _____ de arte maya. Cuando

se fue Gafasnegras, el anticuario llamó a su colega, muy contento porque Gafasnegras cayó en la

(12) _____ del (13) _____ que puso en el periódico. En el

apartamento, Felipe lo vio también y Adriana (14) _____ inmediatamente

para la tienda. El anticuario escuchó la explicación de Adriana y le dio un papelito con el

número del Sr. Guzmán, la persona encargada de (15) _____ los jaguares,

agente de las (16) _____ mexicanas y el coleccionista ficticio. Adriana

(17) _____ cuando oyó de la visita de Gafasnegras, pero el anticuario le dijo que no

(18) _____ porque el Sr. Guzmán tenía todo bajo (19) _____.

ACTIVIDAD 4. ¿Quién y por qué? Lee cada oración y luego escribe el nombre del personaje que habla y explica por qué. Escoge entre **Adriana, el anticuario, Felipe, Gafasnegras, Raúl.**

1. "Valió la pena poner el anuncio. ¡El criminal cayó en la trampa!"

   ¿Quién? _____ ¿Por qué? _____

   _____

2. "Por la patria haré todo lo que sea necesario".

   ¿Quién? _____ ¿Por qué? _____

   _____

3. "El Sr. Guzmán tiene todo bajo control".

   ¿Quién? _____ ¿Por qué? _____

   _____

4. "Los jaguares serán difíciles de vender".

   ¿Quién? _____ ¿Por qué? _____

   _____

SEGUNDO PASO: ¡Gol!

ACTIVIDAD 5. Detalles. Selecciona la palabra correcta para la oración.

1. Raúl va a reunirse con Gafasnegras a las _____.
   a. cinco   **b.** ocho   **c.** cuatro   **d.** diez

2. Adriana se reúne con Raúl en un café en el Paseo del _____ en San Antonio.
   a. Jaguar   **b.** Río   **c.** Mariachi   **d.** Campo

3. _____ trata de escaparse de Raúl pero no puede.

    a. Nayeli   **b.** Felipe   **c.** Zulaya   **d.** Gafasnegras

4. Raúl le convence a Adriana de su verdadera identidad con una _____.

    a. foto   **b.** tarjeta   **c.** nota   **d.** firma

5. Gafasnegras ofrece _____ a Raúl.

    a. los jaguares   **b.** dinero   **c.** sus gafas   **d.** Yax-Balam

6. Gafasnegras recibe un golpe en _____.

    a. el estómago   **b.** la espalda   **c.** la cabeza   **d.** el brazo

7. Felipe le da un golpe a Gafasnegras con _____.

    a. su mano   **b.** una pelota   **c.** un bate   **d.** una maleta

ACTIVIDAD 6. Prepárate. Combina las dos partes de las oraciones sobre el último episodio.

1. Adriana temía que el Sr. Guzmán _____.

2. Adriana no quiso hablar con el Sr. Guzmán

    a menos que él _____.

3. Adriana no creía que el Sr. Guzmán _____.

4. El Sr. Guzmán le dio a Adriana la nota para que

    ella _____.

5. Adriana sugirió que _____.

6. Era importante que Nayeli _____.

7. Era necesario que los tres _____.

8. Se pusieron los micrófonos para que _____.

9. Planeaban esperar hasta que _____.

10. Felipe golpeó a Gafasnegras con la pelota de

    fútbol para que ella _____.

a. atraparan a Gafasnegras

b. fuera amigo de Nayeli

c. no se escapara

d. le explicara por qué la estaba persiguiendo en Sevilla

e. viniera Gafasnegras

f. probara su inocencia

g. fuera un hombre peligroso

h. pidieran ayuda a las autoridades

i. pudieran estar en constante comunicación

j. lo creyera

ACTIVIDAD 7. Verdadero o falso. En los espacios en blanco, escribe **V** si la oración es verdadera y **F** si es falsa. Corrige las oraciones falsas.

1. _____ Felipe y Adriana comen en un restaurante elegante en San Antonio.

    _____

2. _____ Nayeli fundó la organización llamada N.A.Y.E.L.I.

    _____

3. _____ Adriana reconoció al Sr. Guzmán porque era el portero en Madrid.

    _____

4. _____ Adriana no quería hablar con el Sr. Guzmán porque tenía miedo de que Felipe tuviera celos.

    _____

5. _____ Cuando Gafasnegras le ofreció el dinero a Raúl (el Sr. Guzmán), él contestó que hablaría con ella en secreto más tarde.

_____

6. _____ Felipe y Adriana se reúnen con Gafasnegras en un museo de arte maya.

_____

7. _____ Cuando Gafasnegras se cae, también se le caen las gafas.

_____

8. _____ Gafasnegras trata de cruzar el río por un barco.

_____

ACTIVIDAD 8. ¿Quién y por qué? Lee cada oración y luego escribe el nombre del personaje que habla y explica por qué. Escoge entre **Adriana, Felipe, Gafasnegras, Raúl.**

1. "La policía todavía cree que Nayeli es culpable. Ella tiene que devolver los jaguares personalmente".

   ¿Quién? _____ ¿Por qué? _____

   _____

2. "El dinero no me importa".

   ¿Quién? _____ ¿Por qué? _____

   _____

3. "Le doy dos minutos para que me explique todo".

   ¿Quién? _____ ¿Por qué? _____

   _____

4. "Nayeli nunca habló de usted".

   ¿Quién? _____ ¿Por qué? _____

   _____

5. "Usted es el hombre que me persiguió en Sevilla y en Puerto Rico".

   ¿Quién? _____ ¿Por qué? _____

   _____

ACTIVIDAD 9. Los medios. ¿Crees que en este episodio "el fin justifica los medios"? ¿Es una buena filosofía para seguir en la vida? Explica tu opinión.

_____

_____

_____

_____

_____

_____

_____

UNIDAD 12

Del pasado al presente

PRIMER PASO: ¿Chocolate o cárcel?

ACTIVIDAD 1. Detalles. Selecciona la palabra correcta para la oración.

1. Raúl lleva a Gafasnegras a _____.

   a. la cárcel   **b.** México   **c.** su coche   **d.** un hotel

2. Los primos puertorriqueños están en la estación de _____.

   a. tren   **b.** otoño   **c.** policía   **d.** autobuses

3. Luis quiere tener _____ en la cárcel.

   a. comida   **b.** una televisión   **c.** un jaguar   **d.** una computadora

4. Armando dice que es inocente y que lo va a arreglar con _____.

   a. pruebas   **b.** dinero   **c.** fotos   **d.** amigos

5. Felipe le da una rosa _____ a Adriana.

   a. amarilla   **b.** roja   **c.** azul   **d.** blanca

6. Adriana le llama a Felipe _____.

   a. Yax-Balam   **b.** Yax-Pelota   **c.** Hun-Cacao   **d.** Hun-Ahau

ACTIVIDAD 2. Verdadero o falso. En los espacios en blanco, escribe V si la oración es verdadera y F si es falsa. Corrige las oraciones falsas.

1. _____ Gafasnegras se escapa.

   _____

2. _____ Doña Carmen admite que es culpable del robo de los jaguares.

   _____

3. _____ Felipe le da un anillo a Adriana.

   _____

4. _____ Al final del episodio Adriana está muy enojada con Felipe.

   _____

5. _____ Raúl controla a Gafasnegras con esposas (*handcuffs*).

   _____

6. _____ Adriana le da chocolates a Felipe.

   _____

     Caminos del jaguar Activities ◄ Unidad 12   **247**

ACTIVIDAD 3. ¿Quién y por qué? Lee cada oración y luego escribe el nombre del personaje que habla y explica por qué. Escoge entre **Adriana, Armando, doña Carmen, Felipe, Gafasnegras, Luis, el pintor** (*painter*), **Raúl.**

1. "El chocolate es dulce... pero no tan dulce como tú... "

   ¿Quién? _____ ¿Por qué? _____

   _____

2. "No se preocupe, todo se aclarará. Tengo el mejor abogado del país".

   ¿Quién? _____ ¿Por qué? _____

   _____

3. "El dinero lo arregla todo, ¿no?"

   ¿Quién? _____ ¿Por qué? _____

   _____

4. "Los dos en la eterna lucha entre el bien y el mal".

   ¿Quién? _____ ¿Por qué? _____

   _____

5. "Todavía puedo hacer muchas cosas".

   ¿Quién? _____ ¿Por qué? _____

   _____

6. "¿Y nosotros qué? ¡Ella tiene abogado, pero nosotros no!"

   ¿Quién? _____ ¿Por qué? _____

   _____

7. "Mi carrera de programador, todo en la basura".

   ¿Quién? _____ ¿Por qué? _____

   _____

8. "Todo tiene un fin, la vida, la muerte, el bien, el mal".

   ¿Quién? _____ ¿Por qué? _____

   _____

SEGUNDO PASO: Amor y paz

ACTIVIDAD 4. Detalles. Selecciona la palabra correcta para la oración.

1. Raúl le da a Nayeli una rosa _____.

   a. roja   **b.** blanca   **c.** amarilla   **d.** anaranjada

2. Felipe, Adriana y Nayeli están en _____.

   a. San Antonio   **b.** Quito   **c.** México   **d.** San José

3. El sueño de Nayeli, Adriana y Felipe era _____ los héroes gemelos.

   a. tener   **b.** vender   **c.** devolver   **d.** destruir

4. Armando pensaba _____ el jaguar entre México y Sevilla.

   a. robar   **b.** vender   **c.** destruir   **d.** llevar

5. Adriana sueña con conseguir _____.

   a. fama   **b.** dinero   **c.** guerra   **d.** paz

6. El periódico en la casa de Nayeli se llama "_____ de Puebla".

   a. Los Pueblos   **b.** El Noticiero   **c.** La Voz   **d.** Los Tiempos

ACTIVIDAD 5. Verdadero o falso. En los espacios en blanco, escribe **V** si la oración es verdadera y **F** si es falsa. Corrige las oraciones falsas.

1. _____ El señor diputado presenta a Nayeli por televisión.

   _____

2. _____ Raúl le ofreció a Adriana otro proyecto con arte desaparecido en Chile y ella lo aceptó con alegría.

   _____

3. _____ Armando era el criminal principal en el robo de los jaguares.

   _____

4. _____ I.L.E.Y.A.N. al revés (*backwards*) es Nayeli.

   _____

5. _____ Con la vuelta de los jaguares la economía de México se mejora.

   _____

     Caminos del jaguar Activities ◄ Unidad 12

ACTIVIDAD 6. ¿Quién y por qué? Lee cada oración y luego escribe el nombre del personaje que habla y explica por qué. Escoge entre **Adriana, el diputado** (*Deputy*) **Felipe, Nayeli, Raúl.**

1. "¿Qué haría yo sin ti, Raúl?"

   ¿Quién? _____ ¿Por qué? _____

   _____

2. "Éste es nuestro nuevo proyecto".

   ¿Quién? _____ ¿Por qué? _____

   _____

3. "La espiritualidad de Nayeli la guió a ella y nos guió a todos".

   ¿Quién? _____ ¿Por qué? _____

   _____

4. "Me duele la traición de mi madrina".

   ¿Quién? _____ ¿Por qué? _____

   _____

5. "Ahora lo importante es juntar a los gemelos en la tumba de Pacal antes del 31 de agosto. Si no se hace, habrá catástrofes en todo México".

   ¿Quién? _____ ¿Por qué? _____

   _____

6. "Sin ellos, los héroes gemelos estarían en manos de criminales".

   ¿Quién? _____ ¿Por qué? _____

   _____

7. "Armando culpó a Nayeli porque ella era la última persona que había visto el jaguar".

   ¿Quién? _____ ¿Por qué? _____

   _____

8. "Los gemelos querían reunirse y yo sólo fui su vehículo".

   ¿Quién? _____ ¿Por qué? _____

   _____

ACTIVIDAD 7. Adriana y Felipe. ¿Qué piensas de Felipe y Adriana? Describe brevemente lo que les pasará en diez años.

_____

_____

_____

_____

_____

_____

250 *Caminos* ▸ *Caminos del jaguar* Activities

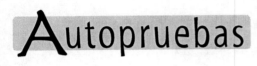

Autopruebas

NAME _____ SECTION _____ DATE _____

U N I D A D preliminar

1. Situaciones. Imagine yourself in the following situations. What would you say? Select the most appropriate answer for each situation.

1. It is 11 P.M. and you are ready to go to sleep.

   a. Buenos días.   **b.** Buenas tardes.   **c.** Buenas noches.   **d.** ¡Hola!

2. You run into an old friend in the cafeteria.

   a. ¿De dónde es usted?   **b.** ¿Cómo se llama?   **c.** ¿Qué tal?   **d.** Adiós.

3. It is 9 A.M. on the first day of class. You greet your professor:

   a. Buenas tardes.   **b.** Buenos días.   **c.** Hola, amigo.   **d.** ¿Qué hay de nuevo?

4. A friend asks you: **¿Cómo estás?** You reply:

   a. Muy mal.   **b.** En México.   **c.** Mucho gusto.   **d.** ¿Dónde?

2. Nacionalidades. Imagine that you meet a number of international students at your school and you have asked them where they are from. Complete the sentences with the correct form for each nationality.

1. María: Soy de México y soy _____.

2. Pablo: Soy de Costa Rica y soy _____.

3. Javier: Soy de Cuba y soy _____.

4. Alicia: Soy de España y soy _____.

5. Carmen: Soy de Puerto Rico y soy _____.

6. Alberto: Soy de la República Dominicana y soy _____.

7. Guillermo: Soy de Nicaragua y soy _____.

8. Lucía: Soy de Colombia y soy _____.

UNIDAD 1

En la universidad

1. Muchas cosas. Rewrite the words and their articles in the plural.

► **MODELO:** la casa _las casas_____

1. el arte _____

2. la mano _____

3. una impresora _____

4. el reloj _____

5. un lápiz _____

6. una ciudad _____

2. Descripciones. Select the correct adjective to describe the following people and things.

1. Graciela es...	trabajador	trabajadora	trabajadores	trabajadoras
2. Carlos es...	cómicos	cómicas	cómico	cómica
3. Diego y Anita son...	perezosas	perezosos	perezosa	perezoso
4. cuadernos...	grises	negro	anaranjado	amarilla
5. paredes...	azul	café	rojos	blancas

3. La residencia. You are going to redecorate your dorm room and need all new furniture. Beside each item write in Spanish words how much it will cost in dollars.

► **MODELO:** unos libros ($150) _ciento cincuenta dólares_____

1. una cama ($172) _____

2. una lámpara ($15) _____

3. una computadora ($199) _____

4. una silla ($28) _____

5. un escritorio ($133) _____

6. un cartel ($4) _____

4. Un "blog". Francesca has written a blog about her experience at school this semester but she has left out most of her verbs. Fill in the blanks with the correct forms of the verb **ser** in order to read what she wrote.

María (1) _____ una estudiante en la Universidad de Santiago. Yo

(2) _____ su compañera de cuarto y hay dos camas en nuestro cuarto.

Las camas (3) _____ grandes y rojas. Nosotras (4) _____

muy trabajadoras. Hay veinte estudiantes en nuestra clase de español y los estudiantes

(5) _____ muy buenos. La experiencia (6) _____ excelente.

5. ¿Qué hora es? Write the Spanish equivalents of the following times.

▶ **MODELO:** It's 2:10 P.M. *Son las dos y diez de la tarde.* _____

1. It's 12:15 A.M. _____

2. It's 1:30 A.M. _____

3. It's 3:45 P.M. _____

4. It's 10:25 P.M. _____

UNIDAD 2

En la ciudad

1. Contrastes. Fill in the blanks with the correct form of the possessive pronoun indicated in parentheses.

(1) (*My*) _____ casa es muy grande, pero (2) (*his*) _____

casa es muy pequeña. (3) (*Their*) _____ apartamento es gris pero

(4) (*our*) _____ apartamento es amarillo.

2. En casa. Fill in the blanks with the correct form of the words below. Use each word only once:
muebles, alfombra, aspiradora, ducha, escoba, refrigeradora, cama.

Paso la (1) _____ por la (2) _____

cuando arreglo la (3) _____ en el dormitorio. Yo canto en la

(4) _____ con mucha agua y bailo en la cocina cuando uso la

(5) _____ para barrer. Yo sacudo los (6) _____.

3. Acciones. Fill in the blanks with the correct form of the verb in the present tense.

Yo (1) (vivir) _____ en Uruguay. Ustedes

(2) (necesitar) _____ dinero. Ellas (3) (llegar) _____

a Puebla. Tú (4) (comprender) _____ la historia. Nosotros

(5) (abrir) _____ las puertas. Usted (6) (leer) _____

el poema *Yo soy Joaquín.*

4. Gustos. Complete the sentences with either **gusta** or **gustan,** depending on the context.

1. Me _____ estudiar pero no me _____ las matemáticas.

2. Me _____ leer pero no me _____ los libros de ciencias.

3. Me _____ caminar pero no me _____ los ejercicios.

5. Estar. Complete the sentences with the correct form of the verb **estar.**

1. ¿Dónde _____ ellos?

2. Nuestros libros _____ en la oficina.

3. Carolina _____ enojada con Carlos.

4. Yo _____ listo para mis exámenes.

5. Tú _____ muy nervioso.

6. Mis papeles _____ en el escritorio.

6. Acciones en progreso. Rewrite the following sentences changing the verb in the present tense to the present progressive.

> ► MODELO: Yo **barro** la cocina. *Yo estoy barriendo la cocina.*

1. Usted **canta** mal. _____

2. Yo **bebo** café. _____

3. Él **cocina** una tortilla. _____

4. Nosotras **miramos** una película. _____

5. Ellas **leen** sus libros. _____

UNIDAD 3

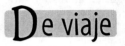

1. El tiempo. Choose the expression for the weather described.

tornado	hace frío	está lloviendo
tronada	hace calor	está nevando

1. Si la temperatura está a 98 °Fahrenheit, _____.

2. Si necesito un paraguas (*umbrella*), _____.

3. Si hay un viento muy fuerte y circular es un/una, _____.

2. Una cena en Córdoba. Complete the following paragraph about Sara and Ricardo's dinner in Córdoba, using the correct form of the present indicative of the verb in parentheses.

Sara y Ricardo (1) (querer) _____ cenar en un buen restaurante

esta noche. Su amigo les (2) (decir) _____ que El Churrasco

(3) (servir) _____ platos típicos de Andalucía y que la comida

no (4) (costar) _____ mucho.

3. ¿Qué tienen? How does each person react to the following situations? Complete the sentences using an expression with the correct form of **tener.**

Cuando nieva mucho yo (1) _____. Cuando son las tres de la mañana

nosotros (2) _____. Porque Gerardo y Esteban van a llegar tarde a clase,

ellos (3) _____.

4. ¿Ir o venir? Fill in the blanks with the correct form of either **ir** or **venir,** according to the translation.

1. Yo _____ a Madrid en abril. *I'm going to Madrid in April.*

2. Ella _____ de Pamplona en tren. *She is coming from Pamplona by train.*

3. _____ a buscar un coche. *Let's look for a car.*

5. La rutina de Rafael. Complete the paragraph with the correct form of the reflexive verb.

Todos los días Rafael (1) (despertarse) _____ a las siete

de la mañana. Él (2) (levantarse) _____ a las siete y cuarto.

Luego (3) (ducharse) _____, (4) (afeitarse) _____,

(5) (cepillarse) _____ los dientes y (6) (vestirse) _____.

6. En un restaurante. Select the best answer to complete the sentence.

1. Yo como mi sopa con una _____.
   a. cuchara   **b.** tenedor   **c.** cuchillo

2. Yo pongo sal en la _____.
   a. carta   **b.** cuenta   **c.** carne

3. El camarero al final me trae _____.
   a. la casa   **b.** la cuenta   **c.** el cuento

7. *Saber* y *conocer*. What / whom do you know? Complete the sentences with the correct form of either **saber** or **conocer**.

1. Bárbara _____ el pronóstico del tiempo para mañana.

2. Yo _____ el número de teléfono de Alberto.

3. Los profesores _____ navegar por Internet.

4. Nosotros _____ al nuevo estudiante, Javier Ruiz.

8. Objetos. Fill in the blanks with the personal **a** where necessary.

1. Conozco _____ Marcos.

2. Veo _____ la ciudad.

3. Leo _____ los libros.

4. Conocemos _____ Madrid.

5. Invito _____ la madre de Nidia a mi fiesta.

9. Inventario. Write the numbers in Spanish for the restaurant owner.

1. 656 _____ platos

2. 2.725 _____ cucharas

3. 1.567 _____ tenedores

10. Conversaciones. You are at a restaurant and overhear pieces of conversations. Fill in the blanks to complete the sentences.

Pepe quiere comer (1) (*these*) _____ postres pero yo quiero comer

(2) (*those over there*) _____. Yo quiero (3) (*that*) _____ flan pero

Marta prefiere (4) (*this one*) _____.

UNIDAD 4

La vida diaria

1. Profesionales. Fill in the blanks with the names of the professions described. Choose from the list below.

abogado	cartero	cocinero	enfermera
peluquero	plomero	profesora	veterinario

1. Esta persona te corta el pelo. Es _____.

2. Trabaja en un hospital. Es _____.

3. Lleva cartas a las casas. Es _____.

4. Defiende los intereses legales de sus clientes. Es _____.

5. Prepara mucha comida. Es _____.

6. Trabaja con animales. Es _____.

2. Preferencias. Compose a sentence for each group of words, adding the appropriate indirect object pronoun and making any other changes or additions.

1. a mis amigos / fascinar / museos españoles

   _____

2. a mí / encantar / las películas de Almodóvar

   _____

3. a nosotros / caer bien / nuevo profesor

   _____

3. Miguel no quiere nada. Miguel isn't feeling well and doesn't want to do anything. Write his responses below using negative words.

1. ¿Quieres comer algo? _____

2. ¿Quieres hablar con alguien? _____

3. ¿Quieres tomar alguna medicina? _____

4. La familia. Complete the sentences with the appropriate word for the member of the family described.

1. Los hijos de mi hermano son mis _____.

2. Los padres de mi esposo son mis _____.

3. La madre de mi madre es mi _____.

4. El hermano de mi madre es mi _____.

5. David. Complete the following paragraph about David with the correct form of either **ser** or **estar**.

David (1) _____ español, y (2) _____ de

Madrid pero ahora (3) _____ estudiando en la escuela de verano en

Santander. En este momento él (4) _____ en la biblioteca de la

universidad buscando un libro. No sabe si el libro (5) _____ allí pero

(6) _____ un libro muy importante para su curso de literatura.

6. Al contrario. Provide the opposite for the underlined words.

1. El libro no está <u>encima</u> de la cama; está _____ de la cama.

2. La silla no está <u>lejos</u> del escritorio; está _____ del escritorio.

3. La mesa no está <u>delante</u> de la cama; está _____ de la cama.

4. La ropa no está <u>fuera</u> del armario; está _____ del armario.

7. El crucero de Arturo. Tell the story of Arturo's long boat ride, using the preterite tense of the verbs indicated.

Un día Arturo (1) (vender) _____ su casa, su coche

y su perro y (2) (comenzar) _____ un largo viaje por barco. Él

(3) (salir) _____ de San Francisco y (4) (viajar) _____

por el Canal de Panamá, por el Caribe, por Nueva York, por el Mediterráneo, hasta llegar

a Barcelona. A Arturo le (5) (encantar) _____ la vida en España.

(6) (Decidir) _____ pasar el resto de su vida allí.

UNIDAD 5

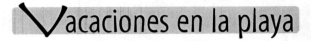
Vacaciones en la playa

1. Definiciones. Write the correct word for the definition.

1. Algo para abrir una puerta: _____

   llave   buzón   maleta   piso

2. Un lugar donde puedes dejar el coche: _____

   habitación   conserje   estacionamiento   piso

3. Un lugar donde puedes pasar la noche: _____

   equipaje   alojamiento   sencillo   salón

2. Objetos directos. Answer the following questions, replacing the nouns in boldface with their direct object pronouns.

▶ **MODELO:** ¿Quieres pedir **la habitación?**

        Sí, la quiero pedir.

        or

        Sí, quiero pedirla.

1. ¿Compraste **el libro?** _____

2. ¿Estás escribiendo **una carta?** _____

3. ¿Es necesario tener **la llave?** _____

3. En la playa. Fill in the blanks with the appropriate word or expression. Choose from the following, and use each word only once: **bronceador, gafas de sol, nadar, sombrilla, traje de baño.**

Cuando estoy en la playa llevo unas (1) _____ para

proteger mis ojos (*eyes*), un (2) _____ para proteger la

piel (*skin*) y una (3) _____ para proteger todo el cuerpo.

También me gusta (4) _____ en el océano, ¡pero sólo si llevo

mi (5) _____!

4. Acciones pasadas. Fill in the blanks with the correct form of the verb in the preterite.

1. Ellos (ir) _____ al Caribe.

2. Ella (construir) _____ castillos de arena.

3. Yo (practicar) _____ deportes.

4. Yo (jugar) _____ al volibol.

5. Yo (empezar) _____ a leerlo.

6. Yo (llegar) _____ temprano a Arecibo.

7. Tú (ir) _____ a la playa.

8. Yo (pagar) _____ la cuenta.

9. Yo te (buscar) _____ en el hotel.

10. Yo (sacar) _____ dinero del cajero automático.

5. Equivalencias. Choose the correct word for each definition.

1. saber:	encontrar	averiguar	avisar	gozar
2. dormir bien:	restar	descansar	cansar	casar
3. tiempo sin trabajar:	vacación	vaca	vacante	vacaciones

6. Objetos. Answer the questions, replacing the words in boldface with the corresponding object pronouns.

▶ MODELO: ¿Ella **le dio el libro?** *Sí, ella se lo dio.* _____

1. ¿Vas a lavarte **las manos?** _____

2. ¿Ellos **les** mandan **el billete a ustedes?** _____

3. ¿Ella **les** pide **la cuenta?** _____

4. ¿**Me** estás calculando **la cuenta?** _____

7. En el pasado. Fill in the blanks with the correct form of each verb in the preterite.

1. Ella (seguir) _____ a su amigo.

2. Nosotros (hacer) _____ una llamada.

3. Muchos (morir) _____ en el accidente.

4. Yo (conducir) _____ el coche.

5. Marta me (pedir) _____ dinero.

6. Ellos no (poder) _____ bucear.

7. Humberto (preferir) _____ viajar a Costa Rica.

8. Fernando y Flora (divertirse) _____ en la fiesta.

9. Ustedes no (estar) _____ en Puerto Rico, ¿verdad?

10. Ellos no (tener) _____ tiempo para vacaciones.

UNIDAD 6

El tiempo libre

1. Vocabulario. Complete the sentence with the most appropriate word from the following: **flauta, esquí, casco, tambor, audífonos, letra, conjunto, partido.**

1. Cuando practicas algunos deportes, usas un _____ para proteger

   la cabeza.

2. Un grupo de músicos es un _____.

3. Las palabras de una canción son la _____.

4. Usas _____ si quieres escuchar música mientras caminas.

5. Cuando varios jugadores juegan contra otros jugadores, es un _____.

2. El pasado de Elena. Complete the story about Elena's past with the imperfect tense.

Cuando yo (1) (tener) _____ once años, mi familia y yo

(2) (vivir) _____ en la ciudad de San Juan, Puerto Rico.

Los domingos, cuando (3) (hacer) _____ sol, nosotros

(4) (ir) _____ con nuestros abuelos a los jardines del Yunque.

3. El concierto de Puerto Plata. You live in the Dominican Republic and can't wait to see your favorite musical group, *Los merengueros,* play their music. Complete the paragraph with either **por** or **para** according to the context.

Ayer compré entradas (1) _____ el concierto de *Los merengueros* (2) _____

esta noche. (3) _____ mí, es el mejor conjunto de la ciudad. El grupo es famoso

(4) _____ su música típica. Pagué mucho dinero (5) _____ las entradas.

4. Más vocabulario. Choose the letter of the definition from Column **B** that matches the term in Column **A.**

A

1. _____ un género
2. _____ una reseña
3. _____ la trama
4. _____ el protagonista
5. _____ un papel

B

a. un análisis crítico de una obra
b. el argumento de una obra
c. lo que tiene un/a actor/actriz en el cine o en el teatro
d. una categoría de obras con características similares
e. el actor que tiene el papel principal

5. Prohibido. The observatory in Arecibo, Puerto Rico, has certain rules. Use formal commands to tell a visitor what to do or not to do, according to the examples.

▶ **MODELO:**   No debe fumar. _Por favor, no fume usted._

1. No debe beber cerca de las computadoras. _____

2. No debe correr en el observatorio. _____

3. No debe tocar el radiotelescopio. _____

6. Hablando correctamente. Change these adjectives to adverbs by adding **-mente** while making all necessary changes.

▶ **MODELO:**   lento _lentamente_

1. general _____

2. paciente _____

3. claro _____

4. inmediato _____

UNIDAD 7

De compras

1. Ropa. Completa las oraciones con la palabra más apropiada de la lista: **moda, lavandería, escaparate, talla, ganga, manga, caja.**

1. En la tienda generalmente se paga en la _____.

2. Pasaba enfrente de la tienda cuando vi el suéter en el _____.

3. El suéter cuesta sólo veinticinco dólares. ¡Es una _____!

4. Pero me queda muy grande. Necesito una _____ más pequeña.

5. Si toda mi ropa está sucia, tengo que ir a la _____.

6. Cuando hace calor, prefiero una camisa de _____ corta.

2. El viaje. Completa el cuento con la forma correcta del verbo en el pretérito o el imperfecto según el contexto.

Mis padres (1) (venir) _____ a visitarme el verano pasado.

Un día, cuando (2) (hacer) _____ mucho calor, nosotros

(3) (ir) _____ a las montañas. Mientras mi madre

(4) (conducir) _____, nosotros (5) (cantar) _____.

De repente nosotros (6) (ver) _____ un oso (*bear*). Mi madre (7) (decir)

_____ que (8) (querer) _____

sacar una foto, pero el oso (9) (irse) _____ corriendo.

3. ¿Cómo se llega al mercado? Estás en un taxi y quieres ir al mercado. Completa las oraciones seleccionando de la siguiente lista de palabras: **doble, derecho, pase, cuidado, siga, cuadras, semáforo, esquina, suba.**

(1) _____ usted por esta calle. (2) _____

por dos (3) _____. (4) _____ a la derecha

en la (5) _____. Tenga (6) _____ en la

intersección porque a veces las personas no paran en el (7) _____.

(8) _____ por la plaza y está en la calle del mercado.

4. Los Andes. Completa el párrafo con la forma apropiada para expresar las relaciones comparativas o superlativas.

Los Andes son las montañas principales de Sudamérica. Unos de los picos son los

(1) _____ altos (2) _____ mundo. Más (3) _____ cincuenta de

los picos tienen una altura de más (4) _____ veinte mil pies sobre el nivel del mar.

Sólo los Himalayas son (5) _____ altos (6) _____ los Andes. Es el sistema

(7) _____ largo (8) _____ mundo. Se extiende por más (9) _____

cinco mil millas.

5. Comparaciones. Completa las oraciones con la forma del pronombre posesivo indicado.

1. Mi casa está lejos de la Universidad; (*yours*) _____ está cerca.

2. La computadora de Daniel es buena; (*mine*) _____ es peor.

3. Su universidad es buena; (*ours*) _____ es mejor.

4. Sus clases son grandes; (*ours*) _____ son pequeñas.

5. Nuestro laboratorio es moderno; (*his*) _____ es más anticuado.

6. Su cafetería es buena; (*theirs*) _____ no ofrece mucha variedad.

UNIDAD 8

$alud y bienestar

1. En el consultorio del médico. Contesta las preguntas con la letra de la respuesta más apropiada.

1. ¿Qué le duele? _____.

2. ¿Tiene usted náuseas? _____.

3. ¿Tiene apetito? _____.

4. ¿Tiene escalofríos? _____.

5. ¿Qué otros síntomas tiene? _____.

6. ¿Prefiere usted pastillas o una inyección? _____.

7. Espero que se mejore pronto. _____.

a. Sí. Es muy probable que tenga fiebre.

b. Las píldoras. Me mareo cuando veo la sangre.

c. Toso mucho y estornudo.

d. Me duelen la cabeza y todos los huesos del cuerpo.

e. No, no puedo comer nada.

f. Ya me siento mejor. ¿Es necesario que haga otra cita?

g. Sí. Vomité toda la noche.

2. Vocabulario. Escribe la letra de la palabra mejor asociada con el verbo.

1. _____ pensar

2. _____ tocar el piano

3. _____ respirar

4. _____ toser

5. _____ estornudar

6. _____ reducir

7. _____ recetar

8. _____ estar embarazada

9. _____ engordarse

a. la garganta
b. la presión
c. las náuseas
d. el remedio
e. el cerebro
f. los pulmones
g. los dedos
h. alergias
i. las grasas

3. Recomendaciones para una vida sana. Completa las oraciones con la forma correcta del verbo en el presente del subjuntivo.

Los médicos nos recomiendan que no (1) (fumar) _____.

Mi doctora quiere que yo (2) (hacer) _____ más ejercicio y que

(3) (controlar) _____ mejor la presión. Ella se alegra de que

yo (4) (ir) _____ todos los días al gimnasio y que

(5) (mantenerse) _____ en forma. La doctora está contenta

que yo (6) (pensar) _____ en mi salud.

4. ¿Qué estaban haciendo? Todos tus amigos estaban haciendo otras cosas anoche. Completa las oraciones con la forma correcta del pasado del progresivo.

1. Rebeca (escribir) _____ una composición.

2. Carla y Alberto (devolver) _____ los libros a la biblioteca.

3. Tú (trabajar) _____ en la oficina.

4. Ustedes (leer) _____ el libro de texto.

5. Nosotros (vestirse) _____ para ir a un concierto.

NAME _____   SECTION _____   DATE _____

UNIDAD 9

La tecnología

1. La tecnología. Escribe la palabra más apropiada para cada definición. Selecciona entre estas palabras: **el archivo, ayuda, el ordenador, el ratón, la red.**

1. Puedes buscar información sobre millones de temas aquí con la computadora.

   _____

2. Cuando tienes alguna pregunta sobre la computadora, puedes hacer clic en este botón.

   _____

3. Lo creas para organizar y guardar la información en el disco duro o en un disquete.

   _____

4. En la mayoría de los países de habla hispana dices "computadora", pero en España usas otra palabra.

   _____

5. Con este "animal" haces clic en los botones e iconos. _____

2. Deseos. Estás buscando algo. Completa las oraciones con la forma correcta del verbo en el presente del subjuntivo o en el presente del indicativo.

1. Busco un amigo que (limpiar) _____ bien mi cuarto.

2. Necesito un profesor que (saber) _____ mucho sobre la historia.

3. Busco un trabajo que (pagar) _____ bien.

4. Tengo un apartamento que (estar) _____ cerca de la universidad.

3. Consejos. Tu hermano menor necesita unos consejos. Completa las oraciones con la forma correcta del mandato informal (de tú).

1. (Acostarse) _____ temprano.

2. (Beber) _____ mucha leche.

3. (No comer) _____ mucho azúcar.

4. (Dormir) _____ ocho horas cada noche.

5. (No enojarse) _____ conmigo.

6. (Salir) _____ de casa temprano.

7. (Ir) _____ a la escuela todos los días.

8. (Hacer) _____ tu tarea para cada clase.

Copyright © Houghton Mifflin Company. All rights reserved.   Autopruebas ◄ Unidad 9   **271**

4. Los coches. Escribe la palabra más apropiada para cada definición. Selecciona entre estas palabras: **el asiento, el cinturón de seguridad, la licencia de conducir, la llanta, las luces.**

1. No se permite conducir sin este documento. _____

2. En los coches y en los aviones tienes que abrochártelo. _____

3. Los pasajeros se sientan aquí en el coche. _____

4. Debes encenderlas si conduces por la noche. _____

5. Si está pinchada, tienes que cambiarla. _____

5. ¿Qué hemos hecho? Completa el párrafo con la forma correcta del verbo en el presente perfecto.

▶ **MODELO:** Yo nunca (hablar) _he_____ _hablado_____ con un ecologista.

Mis amigos y yo (1) (viajar) _____ _____ mucho por

Latinoamérica. Mi amigo Mario (2) (estudiar) _____ _____ la

ecología en Costa Rica y él nos (3) (decir) _____ _____ que hay

muchos problemas de contaminación.

6. ¿Qué habíamos pensado? Completa el párrafo con la forma correcta del verbo en el pluscuamperfecto (pasado perfecto).

▶ **MODELO:** Yo nunca (ver) _había_____ _visto_____ un coche tan elegante

como el de Felicia.

1. Ellos ya (descubrir) _____ _____ la isla cuando llegó el

Capitán Pérez.

2. Ella (romper) _____ _____ todos los platos antes de romper

los vasos.

3. Nosotros (leer) _____ _____ el libro antes.

4. Tú (poner) _____ _____ el dinero en el banco antes de

la catástrofe.

UNIDAD 10

Tradiciones y artes

1. Celebraciones. Selecciona la palabra apropiada de la lista para completar las oraciones.

calavera	catástrofes	dioses	Magos
disfraces	estatuas	Independencia	reyes
noche	padres	propósitos	
ricos	vivo	muerto	

1. En los Estados Unidos, se celebra el Día de la _____ con fuegos artificiales.

2. Muchas personas hacen _____ para el nuevo año.

3. La gente lleva máscaras y _____ para el Carnaval.

4. Se ponen placas y _____ para conmemorar las fechas históricas.

5. Los mexicanos se burlan de la muerte con la _____ de azúcar y el pan de _____.

6. Los padres les regalan juguetes a los niños el día de los Reyes _____.

7. Muchas ceremonias antiguas tenían el propósito de aplacar a los _____ y prevenir _____.

2. Las fiestas. Cuando Estefanía y sus hijos adultos visitaron a su familia en Panamá el año pasado, asistieron a todas las fiestas tradicionales. Completa las oraciones con la forma correcta del pasado del subjuntivo de los verbos entre paréntesis.

Nuestros primos querían que nosotros (1) (ir) _____ a todas las fiestas para que (2) (conocer) _____ mejor el país. Durante Semana Santa, recomendaron que nosotros (3) (visitar) _____ las iglesias. Para la Nochevieja, los hijos insistieron en que yo (4) (vestirse) _____ muy elegantemente y que (5) (asistir) _____ con ellos a una fiesta panameña.

3. En la escuela. Completa las oraciones con la forma correcta del verbo en el presente del subjuntivo.

1. El/la profesor/a nos da mucha tarea para que (aprender) _____.

2. Siempre hago la tarea en caso de que (haber) _____ una prueba.

3. Puedo ayudarte con la tarea con tal de que tú (estudiar) _____ antes.

4. El arte. Escribe la letra de la palabra de la columna B que mejor se asocia con la palabra en la columna A.

A

1. _____ el pintor
2. _____ el mármol
3. _____ los colores primarios
4. _____ el autorretrato
5. _____ dibujar
6. _____ colgar
7. _____ la copia
8. _____ Ojo de Dios

B

a. la réplica
b. la imagen del pintor
c. pared
d. lápiz o pluma
e. cruz
f. la arquitectura
g. rojo, azul, amarillo
h. la escultura
i. el pincel

5. Descripciones. Completa las oraciones con los pronombres correctos. Algunos pueden usarse más de una vez. Selecciona entre estas palabras: **que, qué, quien, quienes.**

1. ¿_____ tipo de arte te gusta más?

2. En mi familia no hay artistas _____ hayan tenido éxito económico.

3. Picasso es el artista a _____ yo más admiro.

4. ¿Cómo se llama el compañero con _____ fuiste a la exhibición?

UNIDAD 11

Temas de la sociedad

1. Conciencia social. Completa las oraciones con la palabra apropiada de la lista.

asesinato	fracaso	logro	pobreza
asesino	empleo	inquietud	policía
cárcel	éxito	lío	remedio

1. Un sinónimo para *trabajo*: _____

2. Un sinónimo para *angustia*: _____

3. La administración encargada de mantener el orden público: _____

4. El acto de matar a otra persona: _____

5. El estado de no tener lo necesario para vivir: _____

6. Una situación complicada: _____

7. El contrario de *triunfo*: _____

8. Un sinónimo para *prisión*: _____

2. El futuro. Tu amigo mexicano siempre habla sobre el futuro. Completa las oraciones para saber lo que él dirá mañana.

1. Nadie (fumar) _____ .

2. Los estudiantes en las universidades (beber) _____ menos alcohol.

3. Una mujer (ser) _____ la presidenta de México.

4. Nosotros (tener) _____ paz en el mundo.

5. Todos los estadounidenses (saber) _____ hablar bien el español.

3. El ambiente. Completa las oraciones en el párrafo con las palabras apropiadas de la siguiente lista: **armonía, combustibles, ecológicos, emisiones, naturaleza.**

Los Defensores del Planeta es una organización mexicana compuesta de profesores y estudiantes

de las varias universidades del país. La idea central de esta organización es que es posible vivir en

(1) _____ con la (2) _____ y que los problemas

(3) _____ pertenecen a todos, no sólo a los mexicanos. Un problema

que les ocupa mucho es el uso de (4) _____. Están tratando de reducir

las (5) _____ de los coches y de las fábricas.

4. Lo que han hecho. Completa las oraciones con la forma correcta del verbo en el presente perfecto del indicativo o el presente perfecto del subjuntivo, según el contexto.

1. Es bueno que los científicos (protestar) _____ en los últimos años,

   pero la situación no (mejorarse) _____ mucho.

2. Es verdad que los coches (ser) _____ la causa principal de la

   contaminación en las ciudades y es una lástima que el gobierno no (aprobar)

   _____ leyes más estrictas.

3. Es bueno que muchos países del mundo (preocuparse) _____ por

   este gran problema.

UNIDAD 12

Del pasado al presente

1. La historia. Completa las oraciones con las palabras apropiadas de la lista.

venció   duró   jeroglífica   códices
templos   fundó   apogeo   siglos

1. Cortés _____ a Moctezuma y _____ la Ciudad
   de México.

2. La civilización maya tuvo su _____ entre los años 200 y 900 después
   de Cristo.

3. La cultura maya se destaca por su uso de la escritura _____.

4. El imperio inca _____ hasta 1527.

5. Las ruinas de Machu Picchu permanecieron perdidas por muchos _____.

6. Los españoles destruyeron la mayoría de sus libros sagrados o _____, que
   se guardaban en los _____.

2. Condiciones. Escribe la forma correcta del verbo indicado, con un verbo en el presente del indicativo y el otro en el futuro en cada oración.

1. Si tú (tener) _____ tiempo (ir) _____
   al supermercado.

2. Si ella (estudiar) _____ (recibir) _____
   buenas notas.

3. Yo (hacer) _____ un viaje a México si tú me (dar)
   _____ el dinero.

3. Diego y Frida. Completa cada oración con **pero** o **sino**.

La obra de Diego Rivera no era sentimental (1) _____ histórica y política. Diego y

Frida compartían las mismas ideas políticas, (2) _____ su pasión verdadera era el

arte. No tenían la misma edad, (3) _____ se casaron de todos modos. Frida

siempre decía que no pintaba sus sueños (4) _____ su realidad. Diego y Frida se

divorciaron en 1939, (5) _____ se casaron por segunda vez el próximo año.

4. Información. Cambia cada oración de la voz activa a la voz pasiva.

> ► **MODELO:** Los españoles compraron muchos artefactos mayas.
> *Muchos artefactos mayas fueron comprados por los españoles.*

1. Los mayas crearon algunos juegos de pelota.

   _____

2. Los aztecas dibujaron los códices.

   _____

3. La UNESCO declaró Cuzco patrimonio mundial.

   _____

4. Los mayas escribieron el libro original del *Popol Vuh*.

   _____

5. Accidentes. Completa cada oración con la forma del verbo indicado usando la construcción para las cosas imprevistas.

> ► **MODELO:** Se les (perder) _perdió_____ el dinero.

1. Se me (olvidar) _____ las llaves.

2. Se nos (caer) _____ el códice.

3. Se te (romper) _____ el traje.

Autopruebas Answer Key

Unidad preliminar

1. **Situaciones.** 1. c; 2. c; 3. b; 4. a

2. **Nacionalidades.** 1. mexicana; 2. costarricense; 3. cubano; 4. española; 5. puertorriqueña; 6. dominicano; 7. nicaragüense; 8. colombiana

Unidad 1   En la universidad

1. **Muchas cosas.** 1. las artes; 2. las manos; 3. unas impresoras; 4. los relojes; 5. unos lápices; 6. unas ciudades

2. **Descripciones.** 1. trabajadora; 2. cómico; 3. perezosos; 4. grises; 5. blancas

3. **La residencia.** 1. ciento setenta y dos dólares; 2. quince dólares; 3. ciento noventa y nueve dólares; 4. veintiocho dólares; 5. ciento treinta y tres dólares; 6. cuatro dólares

4. **Un "blog".** 1. es; 2. soy; 3. son; 4. somos; 5. son; 6. es

5. **¿Qué hora es?** 1. Son las doce y quince (y cuarto) de la mañana. 2. Es la una y treinta (y media) de la mañana. 3. Son las cuatro menos cuarto de la tarde. / Son las tres y cuarenta y cinco de la tarde. 4. Son las diez y veinticinco de la noche.

Unidad 2   En la ciudad

1. **Contrastes.** 1. Mi; 2. su; 3. Su; 4. nuestro

2. **En casa.** 1. aspiradora; 2. alfombra; 3. cama; 4. ducha; 5. escoba; 6. muebles

3. **Acciones.** 1. vivo; 2. necesitan; 3. llegan; 4. comprendes; 5. abrimos; 6. lee

4. **Gustos.** 1. gusta, gustan; 2. gusta, gustan; 3. gusta, gustan

5. **Estar.** 1. están; 2. están; 3. está; 4. estoy; 5. estás; 6. están

6. **Acciones en progreso.** 1. Usted está cantando mal. 2. Yo estoy bebiendo café. 3. Él está cocinando una tortilla. 4. Nosotros estamos mirando una película. 5. Ellas están leyendo sus libros.

Unidad 3   De viaje

1. **El tiempo.** 1. hace calor; 2. está lloviendo; 3. un tornado
2. **Una cena en Córdoba.** 1. quieren; 2. dice; 3. sirve; 4. cuesta
3. **¿Qué tienen?** 1. tengo frío; 2. tenemos sueño; 3. tienen prisa
4. **¿*Ir* o *venir*?** 1. voy; 2. viene; 3. Vamos
5. **La rutina de Rafael.** 1. se despierta; 2. se levanta; 3. se ducha; 4. se afeita; 5. se cepilla; 6. se viste
6. **En un restaurante.** 1. a; 2. c; 3. b
7. ***Saber*** y ***conocer*.** 1. sabe; 2. sé; 3. saben; 4. conocemos
8. **Objetos.** 1. a; 2. *blank*; 3. *blank*; 4. *blank*; 5. a
9. **Inventario.** 1. seiscientos cincuenta y seis; 2. dos mil setecientas veinticinco; 3. mil quinientos sesenta y siete
10. **Conversaciones.** 1. estos; 2. aquéllos; 3. ese; 4. éste

Unidad 4   La vida diaria

1. **Profesionales.** 1. peluquero; 2. enfermera; 3. cartero; 4. abogado; 5. cocinero; 6. veterinario
2. **Preferencias.** 1. A mis amigos les fascinan los museos españoles. 2. A mí me encantan las películas de Almodóvar. 3. A nosotros nos cae bien el nuevo profesor.
3. **Miguel no quiere nada.** 1. No, no quiero comer nada. 2. No, no quiero hablar con nadie. 3. No, no quiero tomar ninguna (medicina).
4. **La familia.** 1. sobrinos; 2. suegros; 3. abuela; 4. tío
5. **David.** 1. es; 2. es; 3. está; 4. está; 5. está; 6. es
6. **Al contrario.** 1. debajo; 2. cerca; 3. detrás; 4. dentro
7. **El crucero de Arturo.** 1. vendió; 2. comenzó; 3. salió; 4. viajó; 5. encantó; 6. Decidió

Unidad 5   Vacaciones en la playa

1. **Definiciones.** 1. llave; 2. estacionamiento; 3. alojamiento
2. **Objetos directos.** 1. Sí, lo compré. 2. Sí, la estoy escribiendo. / Sí, estoy escribiéndola. 3. Sí, es necesario tenerla.
3. **En la playa.** 1. gafas de sol; 2. bronceador; 3. sombrilla; 4. nadar; 5. traje de baño
4. **Acciones pasadas.** 1. fueron; 2. construyó; 3. practiqué; 4. jugué; 5. empecé; 6. llegué; 7. fuiste; 8. pagué; 9. busqué; 10. saqué
5. **Equivalencias.** 1. averiguar; 2. descansar; 3. vacaciones
6. **Objetos.** 1. Sí, voy a lavármelas. / Sí, me las voy a lavar. 2. Sí, ellos nos lo mandan. 3. Sí, ella se la pide. 4. Sí, te (se) la estoy calculando. / Sí, estoy calculándotela (calculándosela).
7. **En el pasado.** 1. siguió; 2. hicimos; 3. murieron; 4. conduje; 5. pidió; 6. pudieron; 7. prefirió; 8. se divirtieron; 9. estuvieron; 10. tuvieron

Unidad 6   El tiempo libre

1. **Vocabulario.** 1. casco; 2. conjunto; 3. letra; 4. audífonos; 5. partido
2. **El pasado de Elena.** 1. tenía; 2. vivíamos; 3. hacía; 4. íbamos
3. **El concierto de Puerto Plata.** 1. para; 2. para; 3. Para; 4. por; 5. por
4. **Más vocabulario.** 1. d; 2. a; 3. b; 4. e; 5. c
5. **Prohibido.** 1. Por favor, no beba usted cerca de las computadoras. 2. Por favor, no corra usted en el observatorio. 3. Por favor, no toque usted el radiotelescopio.
6. **Hablando correctamente.** 1. generalmente; 2. pacientemente; 3. claramente; 4. inmediatamente

Unidad 7   De compras

1. **Ropa.** 1. caja; 2. escaparate; 3. ganga; 4. talla; 5. lavandería; 6. manga

2. **El viaje.** 1. vinieron; 2. hacía; 3. fuimos; 4. conducía; 5. cantábamos; 6. vimos; 7. dijo; 8. quería; 9. se fue

3. **¿Cómo se llega al mercado?** 1. Suba; 2. Siga; 3. cuadras; 4. Doble; 5. esquina; 6. cuidado; 7. semáforo; 8. Pase

4. **Los Andes.** 1. más; 2. del; 3. de; 4. de; 5. más; 6. que; 7. más; 8. del; 9. de

5. **Comparaciones.** 1. la tuya / la suya; 2. la mía; 3. la nuestra; 4. las nuestras; 5. el suyo; 6. la suya

Unidad 8   Salud y bienestar

1. **En el consultorio del médico.** 1. d; 2. g; 3. e; 4. a; 5. c; 6. b; 7. f

2. **Vocabulario.** 1. e; 2. g; 3. f; 4. a; 5. h; 6. b; 7. d; 8. c; 9. i

3. **Recomendaciones para una vida sana.** 1. fumemos; 2. haga; 3. controle; 4. vaya; 5. me mantenga; 6. piense

4. **¿Qué estaban haciendo?** 1. estaba escribiendo; 2. estaban devolviendo; 3. estabas trabajando; 4. estaban leyendo; 5. nos estábamos vistiendo (estábamos vistiéndonos)

Unidad 9 La tecnología

1. **La tecnología.** 1. la red; 2. ayuda; 3. el archivo; 4. el ordenador; 5. el ratón
2. **Deseos.** 1. limpie; 2. sepa; 3. pague; 4. está
3. **Consejos.** 1. Acuéstate; 2. Bebe; 3. No comas; 4. Duerme; 5. No te enojes; 6. Sal; 7. Ve; 8. Haz
4. **Los coches.** 1. la licencia de conducir; 2. el cinturón de seguridad; 3. el asiento; 4. las luces; 5. la llanta
5. **¿Qué hemos hecho?** 1. hemos viajado; 2. ha estudiado; 3. ha dicho
6. **¿Qué habíamos pensado?** 1. habían descubierto; 2. había roto; 3. habíamos leído; 4. habías puesto

Unidad 10 Tradiciones y artes

1. **Celebraciones.** 1. Independencia; 2. propósitos; 3. disfraces; 4. estatuas; 5. calavera, muerto; 6. Magos; 7. dioses, catástrofes
2. **Las fiestas.** 1. fuéramos; 2. conociéramos; 3. visitáramos; 4. me vistiera; 5. asistiera
3. **En la escuela.** 1. aprendamos; 2. haya; 3. estudies
4. **El arte.** 1. i; 2. h; 3. g; 4. b; 5. d; 6. c; 7. a; 8. e
5. **Descripciones.** 1. Qué; 2. que (quienes); 3. quien; 4. quien

Unidad 11   Temas de la sociedad

1. **Conciencia social.** 1. empleo; 2. inquietud; 3. policía; 4. asesinato; 5. pobreza; 6. lío; 7. fracaso; 8. cárcel

2. **El futuro.** 1. fumará; 2. beberán; 3. será; 4. tendremos; 5. sabrán

3. **El ambiente.** 1. armonía; 2. naturaleza; 3. ecológicos; 4. combustibles; 5. emisiones

4. **Lo que han hecho.** 1. hayan protestado, se ha mejorado; 2. han sido, haya aprobado; 3. se hayan preocupado

Unidad 12   Del pasado al presente

1. **La historia.** 1. venció, fundó; 2. apogeo; 3. jeroglífica; 4. duró; 5. siglos; 6. códices, templos

2. **Condiciones.** 1. tienes, irás; 2. estudia, recibirá; 3. haré, das

3. **Diego y Frida.** 1. sino; 2. pero; 3. pero; 4. sino; 5. pero

4. **Información.** 1. Algunos juegos de pelota fueron creados por los mayas. 2. Los códices fueron dibujados por los aztecas. 3. Cuzco fue declarado patrimonio mundial por la UNESCO. 4. El libro original del *Popol Vuh* fue escrito por los mayas.

5. **Accidentes.** 1. olvidaron; 2. cayó; 3. rompió

PERMISSIONS

Illustrations

All illustrations by Tim Jones.

Photos

Page 89: Ulrike Welsch; p. 94: Robert Frerck/Stone; p. 120: Alberto Lowe/Reuters/Corbis; p. 122: Salvador Dali, *Apparition of Face and Fruit Dish on a Beach*, 1939. Wadsworth Atheneum, Hartford, The Ella Gallup Sumner and Mary Catlin Sumner Collection Fund; p. 125: Frida Kahlo, *Self-Portrait with Monkey*, 1945. Schalkwijk/Art Resource, NY; p. 131: Corbis/Sygma; p. 132: Images from Pan's Labyrinth © Estudios Picasso Frabrica de Ficcion, S.A. and Teguila Gang S.A. de C.V. All rights reserved, DVD available from Picturehouse Films and New Line Home Entertainment; p. 137: AP/Wide World Photos; Photofest; p. 142: Evan Agostini/Gamma-Liaison.

Realia

Page 79: Courtesy of *El País;* p. 101: Courtesy of *Vanidades Continental;* p. 112: Courtesy of ABC; p. 130: Courtesy of *Vanidades Continental*; p. 134: Courtesy of the World Wildlife Fund.

Text

Page 143: From Esmeralda Santiago, *Cuando Era Puertorriqueña*. Copyright © 1994 Random House, Inc.

Mar Caribe

Barranquilla
Cartagena
Maracaibo
Caracas
TRINIDAD Y
TOBAGO
Puerto España
San Carlos
La Guaira
VENEZUELA
Río
Orinoco
Ciudad Bolívar
Georgetown
OCÉANO
ATLÁNTICO
Medellín
Zipaquirá
Salto Ángel
GUYANA
Paramaribo
Cayena
Cali
Bogotá
SURINAM
GUAYANA
FRANCESA
COLOMBIA
Popayán
San Agustín
Otavalo
Pichincha
Río
Río
Negro
Río
Amazonas
Ecuador
Santo Domingo
de los Colorados
Quito
ECUADOR
Manaos
Belén
Chimborazo
Guayaquil
Iquitos
Río
Madeira
CORDILLERA DE LOS ANDES

Río Magdalena

BRASIL

Trujillo

Sipán

PERÚ

Callao
Lima
Machu Picchu

Cuzco
Lago
Titicaca
La Paz
Cochabamba
Brasilia
Salvador
Puno
Tiahuanaco
Arequipa
Río
Paraguay
Arica
Sucre
BOLIVIA
Bello
Horizonte
Iquique
Potosí
Río Paraná
Río de Janeiro
Filadelfia
Antofagasta
Trópico de Capricornio
Salta
PARAGUAY
Asunción
San Pablo
Santos
San Miguel
de Tucumán
Puerto Iguazú
OCÉANO
PACÍFICO
Resistencia
Río Paraná
Río Uruguay
Puerto Alegre
CHILE
Córdoba
Aconcagua
Mendoza
Rosario
URUGUAY
Montevideo
Viña del Mar
Valparaíso
Santiago
Buenos Aires
La Plata
Punta del Este
ARGENTINA
Río de la Plata
Concepción
Mar del Plata
Río Colorado
Bahía Blanca
Bariloche
Puerto Montt
CORDILLERA DE LOS ANDES

ISLAS GALÁPAGOS
San
Salvador
Ecuador
Santa Cruz
San Cristóbal
ECUADOR
Quito
Guayaquil
Isabela

PATAGONIA

Estrecho de
Magallanes
TIERRA
DEL FUEGO
Islas
Malvinas
Punta Arenas
Cabo de Hornos

América del Sur

0   250   500 Km.

0   250   500 Mi.